Über dieses Buch Eine Erzählung aus der Zeit der systematischen Verfolgung und Ausmerzung der Juden im Dritten Reich. Ort der Handlung: eine Metzgerei, von der zuständigen Parteidienststelle dazu ausersehen, einmal in der Woche, am Freitagabend (dem Vorabend des Sabbat), Fleisch und Wurst an die Juden der ganzen Stadt auszugeben – gemäß den doppelt reduzierten Rationen auf den besonders gekennzeichneten jüdischen Lebensmittelkarten. Es handelt sich also um jene Frist erzwungener und aufs äußerste eingeengter Getto-Existenz, die der Ausrottung vorausging. Das unbestechliche Zeugnis der Metzgerfrau schafft in der dichterischen Prosa gleichsam einen fesselnden Originalbericht von dokumentarischem Wert. Die Metzgerin ist in all ihrer Furcht und Schwäche ein barmherziger Mensch. Und da sie nichts Wirksames zu tun vermag gegen das letzte Unheil, schickt sie sich in einer Bombennacht zur stellvertretenden Selbstopferung an, zum ›Brandopfer‹. Durch sonderbare Umstände wird sie von einem Juden gerettet – weil ihm der Eingang in den Luftschutzbunker verwehrt worden war.

Der Autor Albrecht Goes wurde 1908 im Pfarrhaus Langenbeutingen in Württemberg geboren. Seine Kindheit verbrachte er in Berlin und später als Schüler der berühmten Seminare Schöntal und Urach im Schwäbischen. In Tübingen und Berlin studierte er Theologie. Von 1930 bis 1952 war er Pfarrer in Württemberg. Noch heute erfüllt Albrecht Goes einen Predigtauftrag. Er ist Ehrendoktor der Theologie der Universität Mainz. 1979 wurde er zum Professor ernannt.
Sein dichterisches Werk umfaßt neben vielem anderen die Novellen ›Unruhige Nacht‹, ›Das Brandopfer‹, ›Das Löffelchen‹ und die Sammelbände ›Aber im Winde das Wort. Prosa und Verse aus zwanzig Jahren‹, ›Tagwerk. Prosa und Verse‹. 1978 erschien ›Lichtschatten du. Gedichte aus fünfzig Jahren‹.
Im Fischer Taschenbuch ist außerdem erschienen: ›Wolfgang Amadeus Mozart, Briefe‹ (Bd. 2140), ›Dichter und Gedicht. Zwanzig Deutungen‹ (Bd. 5248), ›Mit Mörike und Mozart‹ (Bd. 10835), ›Vierfalt. Wagnis und Erfahrung‹ (Bd. 11633).

Albrecht Goes

Das Brandopfer

Erzählung

 Fischer
Taschenbuch
Verlag

76.–77. Tausend: November 1995

Ungekürzte Ausgabe
Veröffentlicht im Fischer Taschenbuch Verlag GmbH,
Frankfurt am Main, Juni 1974

Lizenzausgabe mit freundlicher Genehmigung des
S. Fischer Verlages, Frankfurt am Main
© 1954 by S. Fischer Verlag, Frankfurt am Main
Umschlagentwurf: Buchholz / Hinsch / Hensinger
Druck und Bindung: Clausen & Bosse, Leck
Printed in Germany
ISBN 3-596-21524-2

Gedruckt auf chlor- und säurefreiem Papier

Das Brandopfer

Geschehenes beschwören: aber zu welchem Ende? Nicht, damit der Haß dauere. Nur ein Zeichen gilt es aufzurichten im Gehorsam gegen das Zeichen des Ewigen, das lautet: ›Bis hieher und nicht weiter.‹ Ein Gedenkzeichen, geschrieben – wohin und für wen? Ach, in die Luft schreibt, wer ihrer gedenkt, ihrer, deren irdisches Teil vergangen ist, Staub und Asche in Erde und Wind. Man hat vergessen. Und es muß ja auch vergessen werden, denn wie könnte leben, wer nicht vergessen kann? Aber zuweilen muß einer da sein, der gedenkt. Denn hier ist mehr als Asche im Wind. Eine Flamme ist da. Die Welt würde erfrieren, wenn diese Flamme nicht wäre.

»Wenn das mit dem Kinderwagen nicht dazugekommen wäre, hätte ichs wohl nicht getan. Lieber Herr, der Mensch ist stumpf, stumpfer als das Vieh. So ein Stück Vieh – ich weiß, wie das dreinsieht, wenn sein Stallgefährte unters Messer kommt, ich hab' oft genug in den Schlachthof mit hinausfahren müssen damals, als mein Mann im Feld war. Ja, die Kreatur, die sieht drein. Aber wir, wir sagen: das sollte nicht sein – und sagen: aber das ist ja entsetzlich, und dann gewöhnen wir uns daran. Und im Geschäft heißt es dann gleich: Kunde ist Kunde, und gutes Geld ist gutes Geld. Und sehen Sie: ich habe von den Juden nie so richtig etwas gewußt; hier in unserer Nähe wohnten nur zwei Familien, Doktor Rosenbaums schräg gegenüber in achtzehn, aber die sind gleich, als Hitler kam, nach Holland gegangen: er war so etwas wie Sie, Herr Doktor, Bibliotheksrat, glaube ich – diese Rosenbaums und die kleine Fräulein Wolf, aber die kam nie mehr unter die Leute, und man hat es dann auch so lange nicht gemerkt, daß sie den Gashahn aufgemacht hatte … das war schon vor dem Jahr 38. Nein, so richtig gewußt habe ich nichts; ich sage das nicht, um mich zu entschuldigen, es entschuldigt ja auch wenig genug, man hätte sich eben kümmern müssen, ich weiß, jetzt weiß ich es. Vor den neuen Herren, denen in Uniform, hatte ich keinen großen Respekt. Sie kamen hereingeschnarrt und holten sich ein Viertel Leberwurst oder einen gemischten Aufschnitt, ich machte es ihnen zurecht und sagte: ›Auf Wiedersehen!‹ Und mein Mann sagte: ›Heil Hitler!‹ Da hatten wir dann manchmal einen Wortwechsel darüber. ›Nun hast du wieder nicht richtig gegrüßt‹, sagte mein Mann, ›und es war die Frau Kreisleiter persönlich.‹ Und ich sagte: ›Was ist das dann, die Frau Kreisleiter persönlich?‹ ›Mach dich nicht mausig‹, sagte dann mein Mann, ›Dachau ist nicht so weit, wie du denkst.‹ Und ich fragte: ›Dachau – was ist das?‹ Ja, lieber Herr, so habe ich gefragt, denn ich habe es wirklich nicht gewußt, und das war schon im Jahr 35 oder 36. Mein Mann sagte dann: ›Dachau – das ist nichts aus dem Gebetbuch.‹ Da war ich still und fragte nicht weiter. So ging das in den ersten Jahren. Bis dann, im Dezember 38 war es, und ich weiß den Tag noch gut, es war ein sehr kalter Tag – ja also, bis dann das erstemal eine Frau in den Laden kam, die den gelben Stern am Mantel trug. Gleich nach der Mittagspause war sie gekommen, und ich war allein im Geschäft. ›Ein halbes Pfund Rindfleisch, bitte‹, sagte sie, und dabei schaute sie zur Ladentür zurück, so wie wenn einer hinter ihr her wäre. ›Solls mit Knochen sein?‹ frage ich, wie ichs zu fragen gewohnt bin, und da sehe ich den Stern an ihrem Mantel, recht pünktlich war er aufgenäht mit gelbem Faden, so für die Dauer. ›Ja, bitte, mit Knochen‹, sagt sie. Und ich richte ihrs zu, und sie zahlt und sagt Guten Tag und geht hinaus. Aber am Abend – auch das weiß ich noch, wie wenn es gestern gewesen wäre –, mein Mann hatte die Zeitung weggelegt und machte sich am Radio zu schaffen, da fragte ich ihn: ›Wie war das eigentlich neulich mit der Synagoge, und warum habt ihr den Brand nicht löschen können?‹ Er war damals bei der Freiwilligen Feuerwehr, mein Mann, und sie waren alarmiert worden in der Novembernacht. ›Kunststück‹, sagte mein Mann, ›– wo wir doch den Schlauch gar nicht am Hydranten angeschlossen hatten.‹ ›Sondern?‹ fragte ich. ›Sondern –‹ sagte mein Mann und wurde kalkweiß, ›– man muß nicht alles wissen wollen. Beruhige dich, Grete, das ist nun vorbei‹, sagte er noch. Aber da war ich auch schon aufgestanden und zur Tür hinausgegangen, und ich lief, wie ich war, kreuz und quer durch unser Stadtviertel, eine Stunde lang oder länger. In der Petruskirche, damals stand sie ja noch, war Licht, ich blieb einen Augenblick lang im Eingangsportal stehen und hörte dem Gesang zu, und da wußte ich auch schon, wie es kommen würde, und es kam ja dann sechs Jahre später – fast auf den gleichen Tag. – ›Bist du so fortgewesen?‹ hatte mein Mann gefragt, als ich zurückkam, ›so ohne alles? Du kannst dir ja den Tod holen!‹ Und ich sagte: ›Ja, den Tod.‹

Es kam der Krieg, und mein Mann mußte gleich am zweiten Tag einrücken. Es hatte ihm nichts geholfen, daß er noch in die Partei eingetreten war und auf dem Wehrbezirkskommando gesagt hatte, eine Metzgerei sei ein lebenswichtiger Betrieb. ›Ihre Frau ist ja zu Hause, und die kennt sich aus‹, hatte es geheißen. Er wurde aber dann doch, gleich nach dem Polenfeldzug, noch einmal entlassen, nur: im Februar 40 holten sie ihn von neuem, und von da an blieb ich dann hier allein bis zum Herbst 47; im Herbst 47 erst kam er zurück aus der Gefangenschaft. Die ersten Kriegsmonate – man hatte sehr viel zu tun damals, es gab so viele Vorschriften, die mußte man alle im Kopf haben, und zwei Abende in der Woche gingen hin mit dem Markenaufkleben. Man kam gar nicht so recht zur Besinnung, und ich war beinahe froh darüber. In der Kundschaft gab es Leute, die einem sagten: ›Passen Sie auf, Sie bekommen bald eine schöne Metzgerei in Paris oder in London! Was glauben Sie, am 10. Oktober sind wir in London, mein Bruder hat es direkt vom OKW.‹ Ich gab kein Wort zurück auf solche Narrenreden, sah nur manchmal zur Petruskirche hinüber, die Turmspitze konnte man gerade sehen durch das große Ladenfenster, und dann dachte ich: wie lange noch?

Und dann – der Tag, an dem die zwei Männer von der politischen Leitung kamen, zwei Jünglinge muß ich sagen, Goldfasanen hieß man diese politischen Leiter, man hat immer solche Scherzbezeichnungen erfunden, aber das war nicht gut, lieber Herr... Ja, und die zogen ein Papier aus der Tasche. ›Befehl vom Gauleiter‹, sagten sie. Ein Gauleiter, Sie wissen das sicher noch, das war damals so etwas wie der Herrgott in eigener Person. ›Ja – und?‹ fragte ich, und ich hatte einen unguten Geschmack auf der Zunge. ›Sie sind zu einer besonderen Aufgabe ausersehen, Frau Walker‹, fing der eine an, und der andere: ›Und da gehört allerhand politisches Fingerspitzengefühl dazu, zu dieser Aufgabe.‹ Ich konnte mir nun freilich gar nicht denken, was man von mir wollte. ›Was soll ich denn?‹ fragte ich. ›Sie werden die Judenmetzig‹, erwiderte nun der eine – ich sehe ihn noch, wie er dastand, ein feistes Ekel mit gelber Hornbrille, keine dreißig Jahre alt –, und der andere schrie, wie als Echo: ›Die Judenmetzig‹, und dann prusteten sie los, so als hätten sie einen besonders guten Scherz erzählt: ›Die Judenmetzig, die Judenmetzig‹, und konnten sich gar nicht beruhigen. Schließlich hieß es dann so: alle Juden der Stadt dürfen von jetzt ab nur noch hier ihre Fleischwaren einkaufen, und freitags, an jedem Freitagnachmittag zwischen fünf und sieben Uhr wird meine Metzgerei für die, wie man sagte – ›nichtarische Bevölkerung‹ offengehalten. ›Sie werden sich dieses Vertrauens würdig erweisen.‹ Das klang wie eine Drohung und war ja wohl auch so gemeint. Die Jünglinge holten ihre Zigarettenetuis heraus, schnüffelten ein wenig umher, warfen mir noch ein paar öde Bemerkungen hin (›Nicht, daß Sie nun den Abraham und die Sara mit Filets und mit Schnitzeln füttern.‹) und zogen ab. Anderntags stand die finstre Neuigkeit schon im Städtischen Verordnungsblatt, und wieder einen Tag später war sie der Gesprächsstoff für meine Kunden. Nun muß ich sagen: es gab nicht wenige, denen die Verordnung nicht gefiel und die verlegen vor sich hin schwiegen, wenn andere redeten. Es gab sogar Äußerungen der Unzufriedenheit. ›Wenn das nur gut geht‹, sagte dann eine Frau wohl. Und eine andere: ›Das geht bestimmt nicht gut.‹ ›Darauf können Sie Gift nehmen‹, sagte eine dritte noch. Aber plötzlich rief dann einer – einer oder eine, ich weiß es nicht mehr –: ›Machen Sie aber nur freitags nachts gut Durchzug, sonst hälts kein Christenmensch am andern Tag bei Ihnen aus, Frau Walker.‹ Und eine junge Frau – auch sie seh ich noch vor mir, Herr Doktor –, die sagte: ›Mein

Mann ist gerade im Urlaub da, er läßt fragen, ob er Ihnen nicht gleich für nächsten Freitag noch seine Gasmaske leihen soll.‹ Lieber Herr, wenn ich es bis dahin noch nicht gemerkt hätte, dann mußte ich ja jetzt wohl begreifen, was die Stunde geschlagen hat.

Freitag zwischen ein und fünf Uhr war Sperrstunde für mein Geschäft, auch das stand im Verordnungsblatt, und ich weiß es noch sehr genau, wie mir zumute war am ersten Freitagnachmittag. Gleich nach dem Ladenschluß um ein Uhr hatte ich über die Steinfliesen hingewischt, das Essen mochte ich nicht anrühren an diesem Tag, aber schlafen wollte ich. Nun, und manchmal tut einem ja das Leben etwas Freundliches an, und man schläft mitten in der Angst. Ich schlief also wirklich, aber es war ein Schlaf mit schlimmen Träumen. Ich will davon nicht sprechen, Träume sind Träume, und was später kam, war ja noch schlimmer als alle Träume. Aber so war die Sperrzeit vergangen. Ich hatte kurz vor fünf Uhr die Ladentür wieder aufgeschlossen, sie sollten nicht draußen warten müssen; doch wurde es Viertel nach fünf, ehe die ersten Käufer sich einstellten. Sie hatten wohl schon ihre Erfahrungen gemacht mit der anderen Kundschaft und wollten sichergehen, daß sie hier niemandem begegnen. Ich habe es dann an diesem Abend alles zum erstenmal erlebt, was man da erleben konnte: die Angst, mit der sie mir ihre Lebensmittelkarten über den Tisch hin reichten, diese farbigen Fetzen, jeden Monat hatten sie eine andere Farbe, aber in jedem Monat war das gleiche große ›J‹ eingedruckt, ein freches ›J‹: ›Jude‹ hieß das, und was man auf diese Karten kaufen konnte, war längst schon zum Leben zu wenig. Sie kannten mich ja nicht, und so folgten sie mit mißtrauischem Blick dem Schnitt meiner Schere, wem ich den Wochenabschnitt an mich nahm. Später begriff ich das alles. Das Mißtrauen und die Angst. Begriff auch, warum manche unter ihnen so müde waren, daß sie sich am Ladentisch festhalten mußten. Sie waren ja hier heraus eine Stunde oder zwei Stunden lang zu Fuß gegangen, die Benützung der Straßenbahn hatte man ihnen untersagt, und auf den Bänken im Schloßpark stand: ›Nicht für Juden.‹ Einige hatten große Eile, das merkte ich bald, aber auch dafür erfuhr ich erst später den Grund: am Freitagabend um sechs beginnt ja der Sabbat, und ein strenggläubiger Jude läßt sich dann nicht mehr gerne bei so weltlichem Geschäft finden und unterwegs. Man hatte diese Einkaufszeit gewählt, um ihnen ihren Sabbatanfang zu verderben; ich begriff es bald, man sorgte dafür, daß ich begriff.

Denn schon am dritten oder vierten Freitag kam Besuch. Kontrolle? Kontrolle kann man eigentlich nicht sagen, denn um mich kümmerten sie sich so gut wie gar nicht, wenigstens schien es so. Sie kamen zu zweit oder zu dritt, in Uniform. Eine Bibel trugen sie bei sich, so eine richtige Prachtbibel, breit und schwer. Dann warfen sie sich in Positur, wie zu einer Predigt, schlugen die Bibel auf und begannen zu deklamieren. Nichts von dem, was dastand, bewahre – sondern böse Reimereien. ›Das Saufleisch –‹ nein, nein, ich *kann* das nicht mehr wiederholen… nein, lieber Herr, ich kann nicht. Aber behalten habe ich sie, diese Verse. Sie wundern sich, daß ich sie behalten habe? Nein, Sie wundern sich nicht. Kann man denn das vergessen? Wie sie so dastanden, Herrwasbinich, junge, blonde Burschen, ganz hübsche Gesichter, Sie wissen ja – und die anderen daneben, unansehnlich genug, die Frauen mit ihren Einkaufstaschen aus gepreßtem Papier, in ihren abgetragenen Kleidern, und Männer dann auch, und alle immer wie unter der Peitsche, aber Gesichter… wirkliche…

Einen Augenblick, entschuldigen Sie mich einen Augenblick, Herr Doktor –«

Es ist an der Zeit, daß ich mitteile, wer hier spricht und wer ich selber bin, der Mann, der da zuhört. Nun, was mich angeht, so ist gleich Bescheid gegeben. Ich bin Assistent an der Staatsbibliothek und wohne hier draußen in der Gartenstadt in einem Eckhaus. Ich habe ein Zimmer im dritten Stock dieses Hauses, eines übrigens erst kürzlich wiederaufgebauten Hauses, und es ist ein recht schönes Zimmer. Mein Gegenüber, die Berichterstatterin, sie nannte sich selbst ja einmal mit Namen, ist Frau Walker, die Frau des Metzgermeisters und Hausbesitzers Karl Walker. Aber wie ich dazu komme, diesen Bericht zu hören – und es wird ja mit diesem Teil eines Berichts kaum sein Bewenden haben können –, das ist nicht mit zwei Worten gesagt. Wie kommt man zu einer Geschichte? Wenn man neugierig ist. Gut; aber ich bin nicht neugierig. Oder man kommt an eine Geschichte, wenn einen das Menschenlos angeht – irgendeines oder ein bestimmtes. Aber geht einen Assistenten an der Staatsbibliothek das Menschenlos an? Handschriften, Inkunabeln, Faksimiles, Erstdrucke – das versteht sich:

die müssen ihn interessieren. Aber nein –: Menschenlos geht uns an. Man wohnt nicht in Untermiete bei Frau Margarete Walker, der Frau mit dem Brandmal im Gesicht, ohne daß man sich fragt: was ist das für ein Mensch, und was für ein Los ist da geworfen? Man geht nicht nur beim Heimkommen durchs Geschäft und nimmt sich für das Abendbrot ein Viertel Zungenwurst mit oder hundert Gramm gekochten Schinken. Bei Karl Walker, ja, da könnte es allenfalls genügen, die Worte zu wechseln, die immer schon vorliegen, die niemand erst noch zu finden braucht: »Guten Tag… heiß heute … ziemlich kühl heute… viel Arbeit gehabt, Herr Doktor? … Was ist gefällig?«

Merkwürdig: wie kommt dieser Mann zu dieser Frau? Oder noch merkwürdiger: wie kommt diese Frau zu diesem Mann? Ein Metzgermeister – aber sieht so ein Metzger aus? Etwas Plattgedrücktes ist da, so, als wäre die Geschichte wie ein Traktor darüber hingegangen, um nichts übrigzulassen als ein Paar wasserblaue Augen und einen schweren, müden Mund. (»Guten Tag. Was darfs sein, schönes Fräulein? Schinkenwurst – jawohl, von heute. Schwartenmagen, prima, prima.«) Aber wer ist diese Frau, die während der Hauptgeschäftszeit,

zwischen neun also und halb elf und abends nach
fünf Uhr, im Laden mithilft? Fleisch- und Wurst-
verkauf sind getrennt, die Frau steht dann auf der
Wurst-Seite, wenn man so sagen kann, und führt
die Kasse. Daß ihre Hände nicht für das Metzger-
messer geschaffen sind, sieht jeder, und wofür die
großen, dunklen Augen bestimmt sind, das frage
du. Der Mund, ein strenger, ein – ich weiß kein
besseres Wort – verschweigerischer Mund, wird es
dir nicht sagen. Dabei besteht kein Zweifel: sie ist
es, die hier die Verantwortung hat. Ich erinnere
mich gut: als ich mich auf das Inserat hin nach dem
Zimmer erkundigte und Herrn Walker darüber
befragte – es war eine Stunde im frühen Nachmit-
tag, und ich traf nur den Mann im Laden an, einen
kleinen, untersetzten Mann in schwarzweißgestreif-
ter Metzgerjacke, da bekam ich den Bescheid: »Be-
sprechen Sie's mit der Frau«, und ich weiß noch,
wie dieses »mit der Frau« mich traf: so, genau so redet ein älterer Metzgergeselle von seiner Meisterin,
und so ließ es sich denn auch weiterhin an. Ich ging
also zu der Frau, mit einiger Scheu (warum eigentlich mit einiger Scheu?) ging ich durch die Tür, auf
die Herr Walker gedeutet hatte, und kam in ein
Zimmer, das – unmittelbar neben dem Laden

gelegen – halb Büro, halb Wohnraum heißen mochte : dort traf ich, an der Schreibmaschine beschäftigt, die Frau. Sie hörte meine Bitte an, sah mir aufmerksam ins Gesicht, ohne zu lächeln – es war wie eine Prüfung –: dann führte sie mich in das Zimmer; es war ein Zimmer im dritten Stock, ein helles Zimmer mit einer erfreulichen Aussicht. Das Mobiliar – ein Schlafsofa, ein Schrank, ein Tisch, dazu Waschkommode und Stühle – war, man sah es auf den ersten Blick, ganz neu, aus leichtem Holz. Was mir auffiel, war: es gab keine Häkeldecken, keine Familienbilder an den Wänden und keine sonstigen Bürgergreuel – dafür eine ganz moderne Arbeitslampe und als einzigen Wandschmuck Rembrandts Tobias in einer vorzüglichen Reproduktion. »Sie richten sich das sicher am liebsten nach Ihrem eigenen Geschmack vollends ein«, sagte Frau Walker, und auf dieses Wort hin war ich endgültig entschlossen, hier zu mieten.

Noch einmal: wer ist diese Frau? Wenn es eine Aufgabe war, auf diese Frage eine Antwort zu finden – wie wir denn einander zu Frage und Antwort in den Weg gestellt sind –, so tat sie selbst nichts dazu, mir diese Aufgabe zu erleichtern, nichts, oder doch so gut wie nichts. Wir kamen ja selten genug dazu, mehr als den Gruß miteinander zu tauschen, lange nicht jeden Tag bekam ich die Frau zu Gesicht, da ich den Weg durch die Metzgerei nicht sonderlich liebte. Wohl aber war es mir zwei-, dreimal begegnet, daß Nachbarsleute mich ins Gespräch zu ziehen suchten und nicht übel Lust zeigten, durch mich etwas über meine Wirtin zu hören... Ja – und dies kommt mir erst jetzt zum Bewußtsein – selbst das Wort ›Judenmetzig‹ habe ich nicht in Frau Walkers Bericht zum erstenmal gehört. »*Wo* wohnen Sie?« hatte man mich neulich – halb ungläubig, halb kontrollierend – gefragt, und auf meine Antwort hin zurückgegeben: »So, in der Judenmetzig«, dann aber, ohne mir eine Pause zu Rückfragen zu lassen, weitergefragt: »Und – die Frau Walker... wie ist sie dann jetzt so?« Worauf ich freilich – was hätte ich anderes tun können? – dem Gespräch eine gleichgültige Abschlußwendung gab und mich empfahl. Diese Frau und ihr Weg – was für ein Weg? –: das ist kein Gegenstand für ein Zaungespräch, so etwas weiß man, ohne freilich sagen zu können, woher man es weiß.

Es folgte – ich vergegenwärtige mir eines nach dem anderen – die Abendbegegnung in der Gesellschaft ›Pro Israel‹, einer Vereinigung, die es sich zur

Aufgabe gemacht hat, den Boden aufzulockern für die Wiederherstellung von echten Beziehungen zu Israel. Ein Kollege von der Staatsbibliothek hatte mich dort eingeführt, und ich war nicht wenig verwundert, als ich unter den Teilnehmern der kleinen Versammlung meine Hauswirtin entdeckte, keineswegs als Zufallsgast, derlei fühlt man ja gleich, sondern als sachkundiges Mitglied. Im Saal selbst konnten wir nur einen schweigenden Gruß miteinander tauschen, doch ergab es sich, daß wir den Heimweg zusammen machten, und unser Gespräch ging den Erwägungen des Abends nach. »Redet freundlich mit Jerusalem!« Ich nahm das Leitwort des Redners noch einmal auf und sagte: »Aber das ist nun gar nicht so leicht... ich denke an das junge Geschlecht in unsrem Land, dem man einen Dienst tun möchte. Sie haben fast keine Anschauung mehr, und reine Ideen liebzuhaben, ist sehr schwer.« Frau Walker gab zur Antwort: »Immerhin, ein paar Vertriebene sind ja zurückgekehrt: dann muß man es eben diese Wenigen spüren lassen, wie man es meint. Und überhaupt: wenn nur einige unter uns den Schrecken behalten, dann ist auch das nicht umsonst.« Ich sah sie, während sie das sagte, von der Seite her an und merkte wohl, daß sie von einem Schrecken sprach, der *sie* ganz ausfüllte: dem Schrecken, dem Erschrockensein über alles, was dem Menschen möglich ist. Mir lag dann wohl die Frage auf der Zunge, wie sie zu dieser Gesellschaft ›Pro Israel‹ gekommen sei, aber es ist nicht so leicht, Frau Walker etwas zu fragen. Übrigens waren wir auch schon fast zu Hause. Meine Wirtin schloß die Haustür auf, im Treppengang sagten wir uns Gute Nacht. Seither sind vierzehn Tage vergangen, und keine neue Begegnung wollte sich schicken.

Heute aber nun … ich trete ins Wohnzimmer, mein Blick geht, wie der Blick jedes Mannes unsrer Zunft, über das Bücherregal hin und bleibt hängen an einem hebräischen Rückentitel. Ein hebräisches Buch? Nun, das ist meine Domäne, ich darf, ohne für zudringlich zu gelten, den Buchrücken anrühren und fragen: »Wie kommen Sie denn zu diesem Buch?« »Das ist eine Geschichte«, sagte Frau Walker. Es muß aber etwas in meinem Blick gewesen sein, nicht Neugier, etwas sehr Anderes, denn sie fuhr fort: »Ich erzähle sie Ihnen einmal.« Da sagte ich – es war Abend, wir standen am Konsol, die Stille im Haus war hörbar wie eine Stimme von jenseits der Zeit – und ich sagte: »Jetzt.«

Und da erzählte sie. Aber was heißt: sie erzählte?
Sie beschwor. Nicht, als ob das, was nun folgte
(»Lieber Herr, wenn das mit dem Kinderwagen –«),
aus ihr gestürzt wäre wie ein Katarakt. Nein, man
müßte wohl eher sagen: es wurde heraufgeholt aus
dunklem Schacht. Langsam erzählte sie und mit lan-
gen Pausen. Katarakt oder Schacht – genug: sie
sprach, und es war nicht statthaft, die Sprechende
zu unterbrechen. Solange sie schwieg, hörte man
die Uhr, die verrinnende Zeit. Zeit: Gnade und
Gericht. Schon Gericht. Noch Gnade.

»Einen Augenblick, entschuldigen Sie mich einen
Augenblick«, hatte sie dann gesagt und war gegangen. Ich hatte nichts von der Außenwelt gehört,
wie man im Bergwerk nichts von der Außenwelt
hört. Es muß jemand gekommen sein: Herr Walker –
oder ein Fremder. Jetzt kam sie selbst zurück, zum
Ausgehen angezogen, eine Rote-Kreuz-Tasche in
der Hand. »Ich muß rasch in ein Nachbarhaus«, sagte
sie, »es hat ein Unglück gegeben dort, ein Kind
hat sich den Arm verbrüht. Das ist noch so ein
Kriegsandenken, daß man mich holt in solchen
Fällen«, fügte sie halb lächelnd hinzu.

Sie war wieder ganz in der Gegenwart und mit ihren
Gedanken gewiß schon drüben bei dem Kind. Unser

Gespräch war abgebrochen. Kann man sagen: unser Gespräch? *Sie* hatte gesprochen, aber wenn Zuhören eine andere Form von Sprechen ist, dann *war* es ein Gespräch. Sie hatte nicht gesagt: »Ich komme bald zurück, warten Sie hier.« Und auch nicht, was man so sagen könnte: »Auf ein andermal denn.« Aber der Satz am Anfang ihres Berichts, das war etwas, auf das ich von mir aus zurückkommen konnte, etwas wie das Versprechen auf eine Fortsetzung dieser Geschichte. Keiner schönen Geschichte – soviel ist gewiß, schon jetzt. Aber wer sagt denn, daß man nicht auch einer finsteren Geschichte einiges Licht abgewinnen kann, wie man helles Feuer schlägt aus dunklem Stein?

Gleich, sagte ich mir, jetzt gleich muß ich die Geschichte zu Ende hören. Auch Frau Walker zuliebe darf ich nicht lange zögern. Ein Mensch, der es wagt, solche Erfahrungen noch einmal ans Licht zu holen, tut sich auf wie – wie der Leib einer Gebärenden sich auftut. Das Tor muß sich wieder schließen, bald... Doch nicht, ehe ein Mitwisser gewonnen ist. Ich, der Mitwisser.
Unser Gespräch hatte an einem Dienstag stattgefunden, Mittwoch- und Donnerstagabend waren

durch Berufspflichten ausgefüllt, und eine Einladung zu Freitagabend konnte ich nicht mehr absagen. Wir waren unser elf im Hause eines Landgerichtsrats, es gab vorzügliche kalte Platten und einen leichten Moselwein, es gab Hausmusik, ein helles französisches Barocktrio und eine Flötensonate von Couperin, einen Mozart zuletzt, es gab das gute Gespräch der weltoffenen Leute, an dem ich zu anderer Stunde mit Vergnügen teilzunehmen vermocht hätte –; aber wie konnte ich der Schinkenbrötchen froh werden, wenn ich das im Ohr hatte: »Ein halbes Pfund Rindfleisch, bitte!«, und wie tönt Mozart über dieser verstörten Erde (»Sie werden die Judenmetzig!«)? Auch wollte ich nicht des Landgerichtsrats Meinung über die byzantinischen Mosaiken hören, – ich wollte wissen, ob er einen Synagogenbrandstifter bestraft hatte, bestraft hätte, muß ich ja wohl sagen…

Fieber kroch herauf, ich fühlte es, jetzt im Rücken und jetzt an den Schläfen, ich verabschiedete mich frühzeitig, kehrte heim und überstand die lange Nacht; der Tag kam heran, und ich merkte gleich, es wird einer von den besonderen Tagen, an denen Leben und Geschick sich anders noch als sonst auf die Haut schreiben. Das Fieber hat ein Stück unsrer

Widerstandskraft aufgezehrt, wir können nicht wählen unter dem, was auf uns zukommt, aber gerade deshalb sind solche Tage fast nie arme und verlorene Zeit. Das Haus, in dem wir wohnen und das uns oft genug nicht mehr ist als eine Anhäufung von Stockwerken und Vorschriftstexten (›Kehrwoche‹, ›Bitte Füße abtreten‹, ›Haustüre schließen‹), nicht mehr als eine Sammlung von Beuteln für Frühstücksbrötchen – plötzlich ist es das Haus des Schicksals, Leben springt aus jeder Türe auf mich zu, ein Panther, ein Feind, ein Verbündeter, ein geliebtes Leben – wie immer. Ich habe mit ihnen allen, die da wohnen, zu tun, ich bin gleichzeitig mit ihnen, ich bin ihr Genosse, ihr Freund: ihr Atemzug trifft mich, und ihrem Herzschlag antwortet mein Herzschlag. Nicht mehr durch diese Wand getrennt sind wir, und was zu anderer Zeit nur eben quälend zu hören ist, das Geräusch der Lichtschalter von nebenan, das Seufzen, die Stöße und Rufe, der Kampf der Worte, die Botschaft der Haßliebe – Lebensäußerungen alle des jungen Musikerehepaars, das mit mir den dritten Stock bewohnt – plötzlich rührt es mich anders an: der namenlose Ernst, mit dem fremdes Leben an eigenes Leben sich lehnt, ist über allem. Plötzlich ist die Kontoristin im ersten Stock nicht mehr der schnippische Untermieter Nummer fünf, sondern das, was sie ja im Ernst zu jeder Stunde ist, sie weiß es oder sie weiß es nicht: ein Leben, das sich erfüllen möchte. Plötzlich ist auch Karl Walker ein wirklicher Mensch, ohne die Maske der Sicherheit, ein betrübter Mann.

Heute also, heute abend werde ich zu Frau Walker hinuntergehen und werde mir die Geschichte zu Ende erzählen lassen, was da Ende heißen mag (»Lieber Herr, wenn das mit dem Kinderwagen –«). Heute, dafür steht mir die eigene Schutzlosigkeit, diese seltsame Schicksalsdurchlässigkeit gut, heute werde ich verstehen, daß diese Geschichte, wie Greuliches auch sie enthalten mochte, in ihrer innersten Lebenskammer Liebe bedeuten wird, jene Liebe, welche die Welt erhält.

Aber an diesem Abend kam Sabine. Welche Sabine? Es sind sieben Sabinen in der einen Sabine. Sieben? Es werden mehr als sieben sein, man kennt sich nicht bis zum Grund, wenn man seit einem Jahr in Arbeitsgemeinschaft miteinander lebt und, unabhängig vom Dienst, zuweilen einen gemeinsamen Abend hat. »Es wird hell im Zimmer, wenn Fräulein Sabine kommt«, das ist die Formel für die eine, ich habe sie zu mehreren Malen gehört, aus

dem Mund des Bibliothekdirektors zum Beispiel...
»Aber das ist doch das rätselhafteste Geschöpf auf
Gottes Erdboden –«: das ist von der anderen Sabine
gesagt. Sabine, die Sachliche, Sabine, die Regentin
– o, sie weiß zu regieren, an ihrem Arbeitstisch in
der Staatsbibliothek zumeist –; Sabine, die Über-
mütige – und sie kennen nur wenige... Noch sel-
tener sieht man Sabine, die Scheue, die Flüchten-
de... Sähe man auf den Grund, so sagte man
vielleicht: Sabine, der Gast.

Von ihrem Lebensgang das Nötigste, so viel, wie
ich eben weiß: es ist das, was sich Freundschaft erzählt, Flächenblitze, die eine Landschaft erhellen,
Atemzüge im Unverlierbaren. (Die sogenannten
lückenlosen Lebensläufe sind etwas für die Polizei,
früher hätte man gesagt: für die Familienchronik.)
Hier denn: Sabine Berendson, Tochter eines jüdischen Verlegers und seiner nichtjüdischen Ehefrau,
Jahrgang 1928, der äußeren Erscheinung nach ganz
die Mutter: groß, dunkelblond, helläugig – dem
Wesen nach – aber wie sage ich das: dem Wesen
nach der Vater, da ich doch von diesem Vater nur
aus Sabines kargem Bericht weiß? Sie sprach von
diesem Vater, der in Cambridge lebt, wie von einer
Gestalt der Legende, um genau zu sein: der Heili-

genlegende... Auf gefährlichen Wegen war Sabine, als Arierin getarnt, durch die Hitlerzeit gekommen, die Eltern hatten sich, als keine andere Lösung mehr möglich war, dem Scheine nach getrennt, um der Zukunft dieser Tochter willen. »Bis der Spuk vorüber ist«, hatten sie gesagt – aber dann war die Mutter an einem Apriltag des Jahres 1945 gestorben, gestorben in einem Augenblick, als das Sterben aufgehört hatte, ein persönliches Sterben zu sein (mitverschlungen, mitverscharrt), Sabine war in jenen Wochen verschickt gewesen – Landverschickung hieß man das damals –, es gab keine Nachricht, keine Urkunde, keine Grabbezeichnung und, seltsam genug, auch fast keinen Platz für sie im Gedächtnis der Tochter. Der Vater hatte sich in einem Augenblick, da nirgends mehr Rettung für seinesgleichen zu sein schien, ins Ausland flüchten können. An einem Herbstabend des Jahres 1945 – unvergeßlich alles: Tag und Stunde, Wetter und Himmelsfärbung – lag die Nachricht da, daß er lebe, der englische Stadtkommandant hatte sie übermittelt, es war wie Geburt, incipit vita nuova; hier aber war Sabine, sehr allein, Sabine, der Gast.

Der Gast: ein Mensch, der sich den flüchtigen Dingen befreundet weiß und nie verstehen wird, was

Hab und Gut, Riegel und Sicherheit bedeuten sollen. Da ist die Gebärde, mit der sie ihrenLodenmantel an den Nagel hängt beim Eintritt ins Zimmer, es ist, wie wenn sie darauf acht hätte, daß er schnell wieder ergriffen werden könne; da ist der Blick, mit dem sie dem Rauch der Zigarette folgt, blaue Wolke, addio... Einen Blumenstrauß mitzubringen, würde ihr hundertmal in den Sinn kommen können, etwas Beständiges, ein Kaktusgewächs etwa – niemals. Und so in all und jedem. Nie wird sie sich mit meiner schönen Schallplattensammlung befreunden können (»Ach, Lieber, deine Konservendosen«), aber für das Abenteuer der nächtlichen Wellenjagd ist sie sehr zu haben. (»Weißt du noch: taktaktaktak, hier ist London, hier ist London, hier ist London?«) Photographische Künste sind ihr herzlich verachtenswert: »Bangemachen gilt nicht«, sagt sie. »Das ist etwas für Leute, die sich an der Zeit festhalten müssen und Angst haben, ihr Gesicht zu verlieren.« Telephonate dagegen, lange Gespräche mit großen Pausen, sind nach ihrem Herzen. »Wunderbar, wie da das Wort an seinen Platz findet, an den einzig würdigen, im Imaginären ganz...« Welche Sabine würde heute kommen?

31

Sie kam, noch ganz in der Wolke – niemals stört einer den anderen in der Wolke, das ist ungeschriebenes Gesetz der Freundschaft –, legte ihren Mantel ab, bat sich eine Zigarette aus und füllte den Wasserkocher. Dann nahm sie die Teebüchse vom Regal und deckte den Tisch für uns beide, es war wie ein schweigend vollzogener Ritus. Für einen Augenblick, für drei Augenblicke, nur bis das Wasser kochte, streckte sie sich auf der Couch aus. Hier sein, aufgenommen und getragen sein, drei Stockwerke hoch, dreißig Stockwerke hoch, so hoch, als die Liebe vermag... aber ohne zu vergessen, daß wir unterwegs sind, daß hier eben Station ist. Station für eines Herzschlags Länge, für die Dauer eines Kusses vielleicht. Sie blickt zu mir her: Sabine, der Gast. Und ich weiß: ein Gast. Und begreife mit einem, wohin Sabine gehört. Sie gehört in Frau Walkers Bericht hinein. Noch weiß ich nicht, an welche Stelle. (Ich muß wirklich den Bericht zu Ende hören... Heute noch? Heute nicht mehr. Heute ist Sabines Stunde.) Aber an welche Stelle in diesem Bericht gehört sie wohl?

»Wo warst du eigentlich im Sommer 42, Sabine?«

»Im Sommer 42? Da war ich in Offenbach, ein Schulmädchen. Quarta, nein Untertertia schon.

Und Anfang September kam ich dann hierher.«

»Hierher?«

»Ja. Der Vater hatte den dringenden Wunsch, daß wir in der großen Stadt untertauchen, meine Mutter und ich. Er meinte, hier gelänge es vielleicht, das, was er sich in den Kopf gesetzt hatte: daß ich durchkomme, unbehelligt. ›Gib acht, es geht‹, sagte er ein paarmal in den Wochen vor der Trennung, und dabei sah er mich an, ich kanns nicht sagen wie. ›Ein Germanenmädchen‹, sagte er. ›Und wenn du das ‚Berendson‘ nicht mehr führen mußt, gib acht, es gelingt, du kommst durch.‹ Es war beschlossen worden, daß wir den Namen der Mutter tragen sollten. Unheimliche Sache: einen Namen aufgeben. Man weiß nicht, was man damit aufgibt.«

»Aber du verstandest doch damals, was gespielt wurde, lieber Gott, nicht ›gespielt‹ wurde?«

»Ja. Wenngleich… doch, ich verstand. Ich wollte zuerst sagen, es sei alles immer noch anders gewesen, als man es aus der Entfernung sieht. Der Vater, du mußt wissen, der Vater liebte Deutschland. Er war Soldat im ersten Weltkrieg gewesen. Der Vater… Ja, so ist es: der Vater konnte nicht hassen. In unsrem Hause lebte man wie auf einer Insel. Den gelben Stern trug der Vater, wie einer eine

Auszeichnung trägt. Ich habe den Vater nie zornig gesehen. Nur still. Der Vater – ich will dir die Geschichte mit Rebekka erzählen, dann wirst du verstehen, wie es damals war. Und auch: was der Vater war. Rebekka – aber nein, ich kann das nicht so laut erzählen. Komm! Komm ein bißchen her –.«

Ich setzte mich auf die Couch, Sabine legte die Arme um meinen Hals und begann von neuem, sie sprach im Flüsterton, wie als höre ein Fremder mit im Zimmer, einer, der nicht verstehen dürfe. Ein Fremder? Der Tod vielleicht? Oder der Feind? Oder das Grauen der Welt?

»Rebekka: damals in der Offenbacher Zeit hatte ich Rebekka zur Freundin, es war das einzige Mal, daß ich wirklich eine Freundin hatte, sonst will es bei mir mit den Freundinnen nie so recht etwas werden, sie wollen immer zuviel von einem. Rebekka war die Tochter des Kantors in der Synagoge, und sie sah wahrhaftig aus wie die Rebekka am Brunnen, du kannst dirs schon denken, wie... so nach ›Trinke, so will ich deine Kamele auch tränken‹. Sie war nur ein Jahr älter als ich, aber nein, sie war viele Jahre älter, sie hatte schon ein richtiges Leben. Als die Razzien begannen, da versteckten die Kantorsleute ihr Kind, immer wieder in einer anderen

Familie, man hielt gut zusammen, ein paarmal war sie auch bei uns, wir hatten lange Gespräche vor dem Einschlafen, ich habe nicht viel aus ihnen vergessen, sie waren danach. Aber dann plötzlich war Rebekka verschwunden. ›Wo ist Rebekka?‹ Ich fragte es jeden Tag, ich fragte morgens, mittags und abends, ich wußte: die Welt ohne Rebekka ist nicht mehr die Welt. Sie ist verreist, sagte meine Mutter, und das war keine Unwahrheit. Sie *war* verreist, nach Auschwitz, denke ich, in die Gaskammer – aber davon sprach mir die Mutter nicht. Man soll ja die Wahrheit sagen, aber ich verargs ihnen nicht, daß sie mir nicht die ganze Wahrheit gesagt haben, damals. ›Wo ist Rebekka?‹ Ich weiß: ich war mit dem Vater allein im Zimmer und fragte, zum zwanzigsten, zum dreißigsten Mal fragte ich: ›Wo ist Rebekka?‹ Und der Vater antwortete: ›In dir.‹ Und sonst sagte er kein Wort. Es war, als wolle er mir Zeit geben, dies – wie sag' ich? – zu buchstabieren. ›In dir.‹ Und erst nach einer kleinen Pause fügte er hinzu: ›Man verliert die nicht, die man so sehr liebt.‹ Da verstand ich, wie man so als Dreizehn-, Vierzehnjähriges versteht, und ich weiß noch, was ich tat: ich küßte ihm die Hand. Er zog mich an sich. Damals hatte er das mit der Trennung schon bei sich beschlossen, und wenn ich heute an die Stunde denke, dann weiß ich: das alles war damals schon in seinem Blick und in der Gebärde, mit der er mich an sich zog – und in dem Wort. Er lebte um diese Zeit schon wie auf der Flucht; seine Arbeitsstätte war ein kleines Hinterzimmerchen, im Hauptkontor saßen die Treuhänder. Auch für uns daheim war er fast nicht mehr sichtbar, spät am Abend schlich er sich in die eigene Wohnung. Aber der Blick, mit dem er mich damals ansah, der meinte es so: ›Ich verliere dich nicht.‹«

Ich verliere dich nicht. Sabine schwieg. Es war nichts mehr von Offenbach zu sagen und nichts mehr vom Vater. Geschichte löschte sich aus, wie eine Kerze ausgelöscht wird, Gegenwart schlug ihr Antlitz auf, das heilig-mächtige. So könnte es bleiben: das ist ein einfältiges Wort, das einfältigste. Wir dachten es, und jeder wußte vom anderen, daß er es dachte. Aber wir sprachen es nicht aus.

»Du! Noch eine Zigarette, bitte! Und such uns doch eine Musik –.« Ich schaltete ein und ließ den Sucher über die Skala wandern, Funkeuropa gurgelte seine schwerbekömmliche Lauge, aber hier – halt – und auch Sabine rief: »Halt!« – das war Musik, rein vollkommene Nachtmusik, Locatelli oder Cimarosa –.

»Was ist das, Sabine? Mozart ist es nicht, es muß früher sein, unbeschwerter –.«

»Ach, laß, Lieber! Nicht Schildchen anhängen! Genug, daß es da ist; daß es so, wie es ist, in der Welt ist, und daß die Welt eine heile Stelle hat zwischen all ihrem Schorf und Eiter. Lange vorhalten wird es nicht, aber es ist doch da –.«

Wer kennt Sabine? Sie hatte sich dem Fenster zugewandt und sah nur zwischen zwei schweren Atemzügen einen Augenblick zu mir her. Dann kam sie auf mich zu, küßte mich noch einmal, doch nun wie im Abschied, und sagte: »Guter, weißt du eigentlich, daß du meines Vaters Augen hast? Ein Grund mehr, manchmal hierherzukommen.« Und dann, mit einer anderen Stimme: »Entschuldige, anderthalb Weibertränen. So was Dummes. Gehen wir noch ein Stück?«

»Gut, Sabine, gehen wir noch ein Stück.«

Wir standen im unteren Hausgang, ich suchte nach meinem Schlüssel, da wurde die Tür von außen aufgeschlossen, Frau Walker kam nach Hause. Wir grüßten; ich besann mich, ob ich Sabine vorstellen solle, es hatte sich dazu noch nie Gelegenheit geboten – dies, schien mir, war kein unpassender Augenblick – da sah Frau Walker auf, es ging etwas vor in ihrem Gesicht, und sie sagte: »Verzeihen Sie, Fräulein –, und auch Sie, Herr Doktor, müssen verzeihen, aber – Sie heißen Sabine Berendson?«

»Ja.« Es war ein entgeistertes Ja.

»Und Ihr Vater?«

»Mein Vater?« (Aber was ist das?) »Mein Vater lebt – in England… in Cambridge…«

»Ihr Vater lebt! Wie gut!«

»Aber –.«

Wir kamen nicht dazu, weiter zu fragen. Da war wieder das Gesicht hinter den Vorhängen, das ich vom letzten Dienstagabend her kannte, und eigentlich kannte ich es so lange schon vor diesem Dienstag. In ein solches Gesicht hinein fragt man nicht. ›Woher kennen Sie mich? Ich habe Sie mit Bewußtsein noch nie gesehen. Und woher kennen Sie meinen Vater?‹ So möchte man wohl fragen. Aber jede Frage ist verwehrt.

Frau Walker hatte unterdessen ihre Glastüre aufgeschlossen. »Gute Nacht«, sagte sie, nickte uns zu und sagte: »Gute Zeit mitsammen.« Dieses »mitsammen« klang uns gut. Wie klingt das, wenn man »mitsammen« sagt zu zweien, die sich ihren Weg suchen. Wir liefen in einen leichten Abendregen

hinein, wie behütet fühlten wir uns von diesem
»mitsammen«.

»Also hör!« Ich wars, der zu sprechen anfing. »Das
ist schon, ich weiß wirklich nicht, was ich dazu sagen soll –. Daß ich an Hellseherei glauben muß, ist
noch das Wenigste. Du stehst da für einen Augenblick zwischen Tür und Angel, im Halbdunkel
einer Treppenbeleuchtung, und eine fremde Frau
sagt zu dir: ›Sie sind Sabine Berendson‹. Und woher
weiß sie etwas von deinem Vater?«

»Ja, das mit dem Vater ist mir das Unbegreiflichste
von allem. Der Vater war natürlich vor Jahren auch
manchmal hier gewesen, zu Verlagsbesprechungen,
denk ich, einen Tag oder zwei... Er hatte die Stadt
gern, das weiß ich, die Landschaft auch, und deshalb
hat er uns wohl dann auch hierhergeschickt, aber
wann in aller Welt soll er Frau Walker begegnet
sein?«

»Und dann sagt sie: ›Sie sind Sabine Berendson...‹«

»Mein Gesicht mag ihr ja freilich nicht ganz unbe-
kannt gewesen sein. Wenn man so offenherzig ein
Bild auf das Konsol stellt, wie du das tust, dann
kann die Hausfrau, die doch zuweilen in deinem
Zimmer nach dem Rechten sehen wird, das Gesicht
schon wiedererkennen, zur Not auch im Hausgang

bei Nacht. Aber der Name des Vaters – woher weiß sie diesen Namen? Du mußt das zutage bringen. Nein, *ich* muß das zutage bringen. Ich werde meinem Vater schreiben.«

Wie kam ich dazu, zu meinen, ein Brief liege für mich im Briefkasten des Treppenhauses, jetzt, zu später Stunde? Das Licht im Hausgang war in dem Augenblick erloschen, als ich, vom Gang mit Sabine zurückkehrend, die Tür wieder verschlossen hatte. Im Dunkeln war ich meine drei Treppen hinaufgegangen, hatte, wie immer nicht ohne große Traurigkeit, alles Gerät an seinen Platz getan und danach mir die Couch für den Schlaf zurechtgemacht. War da nicht doch ein Brief im Kasten gewesen?

Man kämpft eine Weile mit der Bequemlichkeit, die nicht noch einmal die Treppen steigen will, und holt die Vernunft zu Hilfe, die einem sagt, daß zu so später Stunde keine Post ausgetragen wird, aber plötzlich sieht man sich doch auf der Treppe, bereit, der kleinen Fata Morgana zu folgen.

Keine Fata Morgana. Ein Brief. Ein Brief ohne Briefmarke und ohne Absender. Ich kannte die

Handschrift nicht, die hier meinen Vor- und Zu-
namen geschrieben hatte, aber noch ehe ich den
Umschlag aufschnitt, wußte ich: dies ist ein Brief
von Frau Walker.

War ich überrascht? Über die Tatsache, daß sie mir
einen Brief schreibt? Über den Duktus der Handschrift, den freien und sicheren Zug? Nein, ich war
nicht überrascht. Ich war, als ich neulich jenes »Jetzt«
gesagt hatte, dieses gleichsam herausfordernde »Jetzt«
– mit Willen und Wissen war ich in den Schacht
gestiegen, dessen Name heißt: Das Unerhörte. Ich
hatte mich in dieser Sache über nichts mehr zu wundern.

Hier der Brief:

»Lieber Herr Doktor, seit Sie da waren, ist all das,
was seit vielen Jahren nicht mehr angerührt worden ist, wieder in mir aufgewacht. Es hat eine Zeit
gegeben, in der ich nicht einmal in den Gedanken
daran geraten durfte. Aber nun ist es doch fast gut,
daß es einmal wieder geschehen ist, und ich will
Ihnen noch weiter Bericht geben, mit der Feder
geht es ein wenig leichter als mit dem Mund. Denn
wenn ich so vor meinem Blatt sitze, habe ich Zeit,
zu warten, bis sie noch einmal kommen, verweilen,
und dann weitergehen – die Menschen aus diesen

Jahren –, und ich denke: solange ich jetzt von ihnen schreibe, und solange Sie von ihnen lesen dann, morgen oder übermorgen, so lange sind sie wieder wirklich da. Freilich, ich weiß: ein richtiger Brief wird es nicht werden.

Ich habe Ihnen ja schon gesagt, daß ich so gut wie gar nichts von den Juden gewußt habe. Erst dadurch, daß ich an jedem Freitagabend diesen ganzen Jammer vor die Füße geworfen bekam, erfuhr ich von ihnen. Und ich begriff, wohin man gehört, und merkte, was man tun muß. Was man tun *müßte*, ich meine: *eigentlich* tun müßte, das habe ich dann bald gewußt. Aber dieses Eigentliche haben wir ja alle nicht getan. Gereicht hat es uns, wenn es gut ging, nur eben zum Tropfen auf den heißen Stein. Es konnte geschehen, daß man von einem Urlauber ein paar Fleischmarken geschenkt bekam, und die teilte man dann auf am Freitagabend, so daß der eine oder andere einen Schnipfel mehr bekam, mehr als das winzige Wenig, das ihm auf die erbärmlichen Lebensmittelkarten zustand. Diese Karten: wenn sie einem so Woche für Woche durch die Hand gingen, lernte man sie lesen wie ein Buch. Da war eine Karte, die unterschied sich von den anderen dadurch, daß eine kleine Zulage, eine Handvoll

Graupen vielleicht oder hundert Gramm Teig-
waren, erworben werden konnte – aber wie teuer
war derlei Bettelbrot bezahlt. Der Mann, dem sie
zustand, war in eine Waffenfabrik verpflichtet,
schön beschäftigt also mit der Herstellung von Munition. Und wofür brauchte man die Munition?
Für den ›Schicksalskampf‹, wie man es nannte.
Aber *auch* für die Massenerschießungen, drüben im
Osten. Und der, der die Munition hier drehte, der
hat das gewußt. Oder zwei Kinderkarten wurden
mir über den Tisch hin gereicht. Aber ich sah nicht
die Karten mit den vielen leeren Feldern, sondern
ich sah die Kinder selbst, das verstoßene Leben. Jedes steht allein in seinem Hinterhof, und keines be-
greift, warum die Spielkameraden so fremd tun.
›Komm, komm spielen!‹ Und dann die andere
Stimme: ›Meine Mutti hat gesagt, ich darf nicht
mehr mit dir spielen. Deutsche Jungs spielen nicht
mit einem Judengör, hat sie gesagt.‹ Eines Tages ist
eine wüste Zeichnung auf die Schulbank gelegt und
ein Wort ist in der Klasse, ein Schimpfwort,
›Schickse‹ sagt man, Kinder sind grausam, und der
›Stürmer‹ am Schwarzen Brett hat längst dafür ge-
sorgt, daß schon die Jüngsten Bescheid wissen.
Und dann ist da der alte Mann, der gar nichts mehr

versteht. Er braucht eine ganze Zeit, bis er die Karte in seiner Tasche gefunden und auseinandergefaltet hat. Immer wie erstaunt sieht er umher und halb lächelnd, aber dieses Lächeln schneidet einem in die Seele. ›Deitsch – gutt, deitsch – nix beese‹, sagt er zu mir, in dem Tonfall von Czenstochau, mir treibt es die Tränen in die Augen, und ich sage nicht, was ich denke: deutsch böse.

Lieber Herr Doktor, Sie sagen nicht: die Frau Walker phantasiert. Ich phantasiere nicht, ich sehe nur. Ich sehe sie vor meiner Auslage stehen, ihrer acht und zehn und zwölf. Frauen und Kinder und Greise, die jüngeren Männer sind ganz selten geworden, ich lerne ihre Namen, und aus den Gesichtern lese ich; ob ich das Richtige lese, weiß ich nicht, aber wer lange liest, lernt ja wohl lesen. ›Wie sind sie denn nun, Ihre Juden vom Freitagabend?‹ fragte man mich da und dort einmal. ›Sind sie nicht eben doch eine fremde Herde? Und finster? Und ungepflegt?‹ Fremd? *Auch* fremd, ja. Auch ungepflegt. Aber pflege sich einer ohne genügend Seife, ohne Waschmittel, ohne Spinnstoffe, ohne frisches Leder. Und finster? Nein, finster nicht. Nur traurig. Ich muß an die Kinder denken, die beiden ersten, die an einem Abend für eine halbe Stunde in meinem

44

Wohnzimmer saßen, in ebendem Zimmer, in dem ich neulich mit Ihnen sprach. Ich hatte gemerkt, daß zwei Mütter noch andere Besorgungen zu machen hatten und daß die Kinder schon fast zu müde waren zum Mitgehen. ›Die Kinder können ja hier warten, bis Sie zurückkommen‹, hatte ich zu den beiden Frauen gesagt und dabei die Tür zu diesem kleinen Zimmer geöffnet. ›Setzt euch schön‹, sagte ich zu den Kindern, und dann dauerte es eine ganze Weile, bis ich nach ihnen schauen konnte, man mußte sich sputen in den beiden Abendstunden, damit alle bedient wurden, in den ersten Monaten wenigstens. Später – aber davon erzähle ich Ihnen noch. Endlich gab es einen freien Augenblick, und ich schaute zu den Kindern hinein. Da saßen sie miteinander auf ein und demselben Stuhl und regten sich nicht. Ich schnitt ein Stück Kriegskuchen zurecht, manchmal hatte man etwas dergleichen im Hause, sie sahen mich ungläubig an, als ich ihnen den Teller bot: ›Teilts euch!‹ Die Mütter kamen zurück, die Kinder wurden gerufen, sie gaben mir nicht die Hand, die Mütter nur sahen mich lange an, fast feindselig, dachte ich, ist dieser Blick – aber was wissen wir? Ob sie mir fremd seien, hatte man mich gefragt, die Juden vom Freitagabend. (Aber

45

verzeihen Sie, Herr Doktor, das habe ich ja schon geschrieben, Sie müssen verstehen, daß sich mir die Fäden verwirren.) Ja, auch fremd. Aber am liebsten hätte ich doch, wenn man so mitleidig und mißtrauisch von ›meinen Juden‹ zu mir sprach, geantwortet: ›Ja, meine Juden.‹

Von den anderen Besuchern, die so plötzlich zuweilen auftauchten, habe ich Ihnen auch schon erzählt. Solange sie da waren, sprach keiner von meinen Kunden mehr als das unbedingt Notwendige, aber es gab Freitage, an denen keine Streife des Weges kam, und da redeten sie dann mit mir. Ich habe sie nicht aufgefordert dazu, aber ich habe mich auch nicht taub gestellt. Ich wußte nur: sie müssen einen haben, der zuhört. Auch wenn er nicht helfen kann.

So fing das an. Dann kam die Sache mit dem Einwickelpapier. Frau M. – ich weiß ihren Namen noch, verzeihen Sie, daß ich auch jetzt noch nur eine Abkürzung wähle, damals mußte man immer mit Abkürzungen umgehen – Frau M. war eine von den vornehmsten Frauen aus meiner Freitagabend-Kundschaft und zugleich eine von den herbsten, wenn man hier von ›herb‹ reden kann. Zu einer Zeit, da die meisten Käufer schon fast vertraut mit mir umgingen, redete sie nie ein Wort, das sie nicht unbedingt sprechen mußte, mit mir. Es war so, daß ich ihre Stimme kaum kannte – bis zu dem Tag, da sie mich ganz unversehens dann mit einem richtigen Satz ansprach. ›Meine Schwägerin kommt nachher‹, sagte sie. ›Sie nimmt meine Portion mit. Heben Sie's bitte auf und‹ – sie zögerte einen Augenblick – ›und wickeln Sie das Fleisch da hinein‹, und dabei zog sie ein Stück graues Packpapier aus ihrer Tasche. Ich wollte entgegnen: ›Lassen Sie, es ist nicht nötig – an Einwickelpapier fehlt mir's noch nicht‹, da sagte sie: ›Bitte!‹ Und es war ein so strenges ›Bitte!‹, daß ich nur nicken, das Papier nehmen und zur Seite legen konnte. Die Schwägerin kam nicht an diesem Tag, und das graue Papier lag nach Ladenschluß noch da. Ich nahm es zur Hand und wollte eben nach dem Wunsch von Frau M. das Päckchen zurichten, da entdeckte ich auf dem grauen Papier geschriebene Worte. Ich las: ›Sigi ist fort, Theresienstadt, Block XVII, schreibst du ihm – Grüße M.‹

Habe ich schon erzählt, daß Frau M. beim Hinausgehen sich umgewendet und ›Vielen Dank‹ zu mir gesagt hatte, ganz laut die Worte ›Vielen Dank‹?

Am folgenden Freitag, ich war in Unruhe wegen

dieser Sache, kam die Schwägerin. Ich mußte sehr vorsichtig sein an diesem Tag, die Besucher waren da, und ich fühlte mich, man fühlt ja so etwas, mehr als sonst beobachtet. Ich nützte einen Augenblick, in dem die zwei SS-Männer miteinander sprachen, und sagte: ›Ihre Schwägerin hat das letztemal ihre Zuteilung nicht mitgenommen. Sie hatte mich gebeten, ihre Portion für Sie aufzuheben. Kommt Frau M. wohl heute selbst? Sonst könnte ich Ihnen noch etwas mitgeben. Ich habe es so notiert.‹ Wenn die Burschen nur nicht auf uns aufmerksam werden, dachte ich – und das Herz schlug mir am Hals. ›Frau M. braucht ihre Portion nicht mehr‹, sagte die Schwägerin ganz rasch, und eine winzige Bewegung der Hand zum Hals hin ließ mich alles erraten; in solcher Sprache redete man damals miteinander. Ich wußte nun: man hat den Mann geholt, die Frau gibt der Schwester des Verschleppten mit einem Satz noch Bescheid, dann geht sie hin und nimmt sich das Leben. Haben die Aufpasser wirklich auch diese Handbewegung der Frau nicht gesehen? Dem Himmel sei Dank, sie haben nichts gesehen! Sie gehen zur Tür und verabschieden sich, wie sie es zu tun gut fanden. ›Juda verrecke!‹ schmettern sie, und dann: ›Heil Hitler!‹

48

Jetzt denke ich daran, wie merkwürdig es war, daß sie unter sich kaum miteinander sprachen, so als hätte die allgemeinsame Angst sie auch einander entfremdet. Und wirklich sah es zuweilen so aus, als mißtrauten sie sich wechselseitig. Eine Zeitlang hatte ich sogar den Verdacht, an der Verschleppung des Rabbiners sei einer aus ihren eigenen Reihen beteiligt gewesen. Lieber Herr Doktor, man konnte von dem Platz hinter dem Ladentisch aus damals wirklich in die Welt hineinsehen, richtig in die Welt, in der alles vorkommt, das Beste und das Böseste. Der Doktor Ehrenreich wird es auch gewußt haben, daß alles möglich ist, daß man nicht einmal mehr bei den eigenen Leuten ganz sicher sein kann, aber er hätte freilich nichts anderes tun können als das, was er tat.

Ich habe einen Augenblick eine Pause gemacht, die Schreibhand war müde. Ich stand am Fenster, und dabei sind mir die Kriegsnächte wieder eingefallen. So stand man ja damals im Dunkeln und horchte auf den Himmel zu, auf die Flugzeuge in der Nacht. Dann habe ich meine letzten Seiten selbst noch einmal gelesen, und ich merke, daß ich Ihnen noch gar nicht vom Rabbiner gesprochen habe; verzeihen Sie, daß dieser Bericht sich so wie ein krauses Durcheinander liest – für mich war der Rabbiner Ehrenreich die ganze Zeit, da ich schrieb, wieder dagewesen.

Ich habe schon erzählt, wie mich das beschäftigt hat: daß sie untereinander sich kaum etwas mitteilten, und eigentlich ist mir der Rabbiner zuerst dadurch aufgefallen, daß er, er allein, oft genug gegrüßt und auch angeredet wurde. Ich hätte ihn nicht als Rabbiner erkannt, in der Kleidung zum Beispiel unterschied er sich in nichts von anderen älteren Männern. Das Einkaufsnetz, das er bei sich trug, war meist schon schwer, wenn er zur Metzgerei kam. Er hatte alle Lebensmittelrationen für sieben oder acht Menschen zu besorgen, jedesmal. Wie er aussah? Er sah aus wie – aber das wußte ich damals noch nicht, ich kam erst später dazu, richtig in der Bibel zu lesen, und da wußte ich es dann plötzlich, wenn ich im Buch des Propheten Jeremia las –: er sah aus wie der Prophet Jeremia. Meist war es gerade sechs Uhr, wenn er den Laden betrat. Einmal geschah es, die Glocke von der Petruskirche, es war nur noch *eine* Glocke um diese Zeit auf dem Turm, hatte geläutet, und nach dem Läuten gab es für einen Augenblick eine richtige Stille. Da sagte der Rabbiner mit lauter Stimme ein Wort. Ich hörte den Wortklang, aber ich verstand nicht. Später lernte ich diese Worte. Er hatte ›Schalom‹ gesagt, und auf dies Wort hin standen alle, die im Laden waren, reglos still. Dann sprach er von neuem, und ich merkte: das ist nun ein Gebet oder ein Bibelwort, und alle sind mit dabei. Hier ist jetzt ihre Synagoge. Ich verhielt mich ganz ruhig und legte das Messer weg. (Wenn nur jetzt nicht gerade schwarzer Besuch kommt, dachte ich, es wäre nicht gut.) Und da sah ich plötzlich einen, der mit einem bösen, einem wirklich tückischen Blick zum Rabbiner hinüberschaute. Es war ein junger Bursche, der selten einkaufte, meist kam seine Mutter... Er trat an die Kasse und sagte mitten in die Stille hinein ganz laut zu mir: ›Was bin ich schuldig?‹ Ich nannte ihm so leise wie möglich die Summe, er aber legte geräuschvoll und umständlich die Münzen aufs Zahlbrett, laut sagte er ›Schön gut'n Abend‹ und ging zur Tür hinaus. Die anderen Kunden sahen sich nicht um, der Gottesdienst ging weiter. Ich dachte: so ist das also, auch dort – hier die Gemeinde, und dieser eine ist nicht mehr dabei. Aber wie gut, daß die Schwarzen heute nicht gekommen sind, dachte ich dann noch einmal.

Über acht Tage aber, es war alles wie beim letztenmal, der schlimme Junge freilich war nicht da, sondern seine Mutter, und auch sonst waren es zum Teil andere Kunden, der Rabbiner spricht die Worte, und ich selbst bin nun auch ganz mit in dem seltsamen Gottesdienst, von dem ich kein Wort verstehe, und so vergesse ich mein Wächteramt – niemand hat mich zum Wächter bestellt, aber betende Leute auf der Flucht muß man doch ein wenig behüten – plötzlich geht die Türe auf, und zwar eben in dem Augenblick, da der Rabbiner eine Segensgebärde macht: die Zuhörer stehen noch in einer Art von Erstarrung, keiner kann rasch genug zurückkehren ins Alltägliche – da sind die fremden Besucher schon im Raum, und diesmal sind sie zu viert. Der Anführer, ein Riese von einem Kerl, ruft: ›Heil Hitler! Was ist denn das? Is' hier Kirche oder ein Judenpuff oder was is' hier?‹ Und gleich geht er auf den Rabbiner zu mit einer drohenden Gebärde:

›He, Mausche! Antwort!‹

Und nun Wort auf Wort.

›Ich bin Doktor Ehrenreich‹, sagt der Rabbiner. (Damals dachte ich es zum erstenmal: er sieht aus wie ein Prophet.)

›Ein Jud bist du‹, schreit der Riese Goliath jetzt, ›ein Scheißjud bist du. Was tust du da?‹

52

›Ich bete.‹

›Deswegen kommt dir noch lange keine Wurst zwischen die Zähne.‹

›Ich bete nicht um Würste, sondern um Menschen.‹

›Ihr habts nötig.‹

›Wir haben es alle nötig.‹

›Jeder nach seinem Pläsier. Ich möchte nicht in dein Knoblauchmaul kommen, Jud.‹

›Gott will nicht, daß Sie verderben.‹

Es war ganz still geworden, furchtbar still, und alle sahen zu, die Käufer und die Spießgesellen auch, und mir schien, die Schwarzen seien selbst noch viel erschrockener als die aufgescheuchten Beter.

David und Goliath – das fiel mir auf einmal ein. Und ich dachte: darf die Geschichte jetzt wirklich anders ausgehen als damals? Darf das geschehen, daß nun der kleine ehrwürdige Mann am Bart gerissen und weggeschleppt wird, und daß man nie mehr, lieber Herr, nie mehr etwas von ihm hört und sieht?

Sie können sich denken, mit was für Empfindungen ich dem nächsten Freitagabend entgegensah. Ich besann mich an manchem Tag, ob ich Anzeige erstatten solle, wegen Hausfriedensbruchs etwa, aber wie hätte ich hoffen können, Recht zu bekommen:

Es gab kein Recht mehr. Doch gab es mitunter Verzögerungen auch im Unheil, und viele unter uns verdanken es einer solchen Verzögerung, daß sie noch leben. Der nächste Freitag ging vorüber, ohne daß die Störenfriede auftauchten, und noch eine ganze Anzahl von Freitagen verlief ruhig. Das waren – später habe ich oft darüber nachgedacht – sehr merkwürdige Wochen. Nach diesem Zusammenstoß nämlich geschah es, daß die Kunden vom Freitagabend anders als vorher miteinander sprachen. Es war, als sei ihnen allen durch dieses Unglück die Zunge gelöst worden. Und – seltsam oder nicht seltsam – auch mit mir sprachen sie nun, anders noch als in den ersten Monaten. Das kleine Wohnzimmerchen, das damals zuerst die beiden Kinder beherbergt hatte, wurde nicht mehr leer, und nicht nur am Freitagabend waren wir dort zusammen. Damals kam mir dann auch das hebräische Buch in die Hand, das Sie unter meinen Büchern entdeckt haben. Eine Arztfrau brachte es mir, als Abschiedsgeschenk, und Sie wissen schon, lieber Herr, was für ein Abschied gemeint ist. Wir haben ein keckes Spiel gewagt damals, es ist wahr. Und auch das wissen Sie nun: es war kein Spiel.

Noch einmal ein neues Blatt. Ich mute Ihnen, Herr Doktor, viel zu, ich weiß, meine Handschrift ist die leserlichste nicht mehr, ganz haben sich meine Augen seit dem Brand von damals nicht mehr erholt, aber nun habe ich Ihnen neulich gleich gesagt, daß es schließlich die Sache mit dem Kinderwagen war, die es zum Letzten kommen ließ, und von ihr könnte ich gewiß nicht sprechen, wenn Sie hier mir gegenübersäßen.

Es kam der 16. Oktober, Sie kennen das Datum als den Tag der Zerstörung der Staatsbibliothek, ein Freitag wieder. Es war alles, wie es immer war, ich stand hinter dem Ladentisch, die Käufer reichten mir ihre Lebensmittelkarten, ohne Mißtrauen jetzt und ohne Angst, gebetet wurde nicht mehr seit der Verschleppung des Rabbiners, nur ich selbst sagte manchmal statt eines anderen Grußes ›Schalom‹, ich wußte jetzt gut, was das Wort heißt, und das Angeredete gab mir dann wohl zurück: ›Schalom‹… Das war so unser Sabbat in der Metzgerei… Ich hörte ein Auto vorfahren, heftig wurde die Wagentür zugeschlagen, gerade noch ›Gebt acht!‹ konnte ich rufen, schon stand der Goliath da. Hinter ihm eingetreten war ein schmächtiges Kerlchen, das wie fremd in seiner Uniform zu stecken schien.

Ich tat, als sähe ich die beiden nicht, doch bemerkte ich gleich, daß der Riese einen höheren Dienstgrad bekleidete, auch auf derlei Dinge hatte man achten gelernt. Man hatte also nicht versäumt, ihn für die Tat von neulich zu belohnen … Sonderbar starr blickte der Goliath umher, ich merkte: er war angetrunken. Er zündet sich eine Zigarette an und stößt sie dann brennend einem alten Mann ins Gesicht, ich merke es erst, wie der Gequälte aufschreit. Nun wird es also böse, denke ich, ganz böse wird es nun. Und ich weiß sogleich: jetzt werde ich nicht mehr schweigen können.

›Rauchen ist hier gesetzlich untersagt‹, sage ich und betone das Wort ›gesetzlich‹. Der Goliath blickt zu mir her, er scheint mich in diesem Augenblick überhaupt erst bemerkt zu haben, dann liest er das Verbotsschild, auf das ich mit einer Kopfbewegung gedeutet hatte, und wirklich, er drückt die eben angerauchte Zigarette aus; aber ein schlimmes Lächeln ist in seinem Gesicht. Seinem Nebenmann wendet er sich zu – es war ein alter Richter, längst im Ruhestand – (›Können nicht Sie vielleicht doch noch fliehen?‹ hatte ich ihn neulich gefragt, und er hatte erwidert: ›Nein, ich kann nicht mehr fliehen, ich bin zu alt; und ich will auch nicht, hier wartet mein Grabstein auf mich –‹) und nun sehe ich, wie er dem alten Mann sein Eingewickeltes aus der Hand schlägt. ›Mausche!‹ ruft er – ›nur nicht so viel fressen! Sonst wirst du zu schwer zur Himmelfahrt. Auf Fünfzehnten gehts ab – heidi durch die Luft!‹

Alles blickte auf den Goliath. Nein – zwei, drei Kunden taten, als hätten sie nichts gehört, einer von ihnen trat auf mich zu und gab seine Bestellung an. Ich konnte nicht gleich auf ihn hören, ich mußte zu Frau Zalewsky hinüberschauen. Frau Zalewsky hatte ihre Tasche auf den Boden gestellt, sie zitterte am ganzen Leib. Sie war eine Musikersfrau und stand kurz vor ihrer Entbindung. Ich wußte einiges von ihr. Sie hatte die Kühnheit gehabt, im vierten Monat ihrer Schwangerschaft um die ›Zulage für werdende Mütter‹ zu bitten, um einen Viertelliter Milch und einige Gramm Zucker und Mehl… Die Kartenstelle hatte ihre Eingabe beschieden mit der Erklärung: ›Ein Judenbankert gehört abgetrieben. Wenden Sie sich an das Gesundheitsamt Abteilung D.‹ Sie verwahrte das Dokument in ihrer Tasche, sie hatte es mir einmal gezeigt. Ich hatte es gelesen, hatte Stempel und Unterschrift betrachtet, auch das Diktatzeichen hatte ich nicht übersehen:

selbst solche Sätze kann man einer Sekretärin diktieren, man kann alles. ›Frau Zalewsky!‹ sagte ich. ›Lassen Sie nur‹, erwiderte die Totenblasse, ›es ist mir gleich wieder besser.‹ Ich wandte mich dem Kunden zu, der noch einmal – völlig unbewegt, wie es schien – seine Bestellung aussprach, der Goliath fing von neuem an: ›Heidi, heida, durch die Luft juchheisassa‹, es war, als wolle er hier einen Tanz aufführen – da ging sein schmächtiger Begleiter, nun selbst ein kleiner David, auf den Fürchterlichen einen Schritt zu, nahm Haltung an und sagte mit halber Stimme: ›Untersturmführer! Sie sind im Dienst!‹ Der Goliath riß seine Augen auf und streckte seinen Arm aus. Es schien ihm unglaubhaft, daß jemand es wagen wollte, ihn zu belehren. Und nun kam es: ›Quatsch! Quatsch mit Pellkartoffeln. Das ist doch direkt nett von mir – nu mach' man keinen Stuß, Beck, will ich dir sagen – direkt nett von mir, daß ich die hier so peu à peu ins Bild setze, wenn sie nächstens durch den Schornstein gehen. Was glaubst du, Beck – die Sara mit dem dicken Bauch, die ist mir – was, Sara? – die ist mir egal dankbar dafür, wenn ich ihr sage, daß sie sich um die Kinderwindeln keine Sorge mehr machen soll, um die süßen kleinen Scheißewindeln –‹

›Untersturmführer!‹ rief jetzt der Junge noch einmal, beschwörend klang es, und er nahm seinen Vorgesetzten am Arm.

›Pfoten weg!‹ schrie der Angetrunkene, jäh böse geworden, ging aber gleichzeitig mit großen, tappigen Schritten zur Tür. Unter der Türe wandte sich der Junge um und rief zu mir her: ›Sie halten den Mund!‹ Ich nickte. Warum soll ich nicht schweigen, da doch die Steine reden werden?

Ich tat schweigend meine Arbeit, und auch um mich her sprach keiner mehr ein Wort. Ich trennte die Wochenabschnitte von den Karten ab und reichte die Ware über den Tisch hin. Es kam mich an – und ich kann es auch heute nach vielen Jahren nicht erklären, warum es damals so über mich kam – weit mehr herzugeben als das, was dem einzelnen zustand. Ich weiß nur noch: als es mir gegen Ende der Verkaufszeit zum Bewußtsein kam, daß ich nun den Verlust wohl nie mehr würde ersetzen können, da wurde mir leicht und froh zumute. Die furchtbaren Worte waren noch im Raum, aber als ich hinter dem letzten Kunden die Ladentüre zuschloß, da hatte ich ein Gefühl, wie wenn alle Last schon von mir genommen wäre.

Eine Stunde war vergangen, ich saß in meinem Zimmer bei einer Näharbeit, da hörte ich ein Klopfzeichen an meinem Fenster. Ich ging zur Türe, um zu öffnen. Ich bin nicht sehr mutig, lieber Herr Doktor. Ich hatte große Angst. Es war nicht so, wie ich es vorher gemeint hatte, daß die Last von mir genommen sei. Es war noch immer alle Last da. Frau Zalewsky, die Musikersfrau, stand vor mir. ›Sie machen mir einen Augenblick auf, bitte‹, sagte sie. Ich öffnete sofort, Frau Zalewsky war unterdessen noch einmal in den dunklen Seitengang zurückgetreten, nun kam sie wieder und schob etwas vor sich her. Es war ein Kinderwagen. Sie führte ihn ohne Zögern durch die Außentür und dann weiter in das Zimmer hinein – in das Zimmer, in dem ich jetzt schreibe. Dort, wo Sie neulich saßen, an ebender Stelle stand der Kinderwagen an jenem Abend, er steht für mich immer noch da…

›Setzen Sie sich doch bitte, Frau Zalewsky‹, sage ich, und sie setzt sich, es war das mühsame Niedersitzen der Hochschwangeren. Dann fängt sie an: ›Der – hat die Wahrheit gesagt.‹

›Der Betrunkene?‹ frage ich. Es soll wie ein Zweifel klingen, aber indem ich meine eigene Stimme höre, merke ich, daß ich meinem Zweifel selbst nicht glaube. Die Welt ist so bös geworden, daß gerade nur eben das Böseste die Wahrheit ist.

›Ja, der‹, sagt die Frau. ›Der Rabbi hat gesagt: ‚Gott hat den Wein geschaffen, daß er den Toren die Zunge löse, die Wahrheit zu sagen denen, die der Wahrheit bedürfen.‘‹

Dann: Stille. Ich schaue vor mich hin. Dann wieder die Stimme der Frau: ›Ich habe Ihnen den Kinderwagen da gebracht. Sie waren gut zu mir, alle die Zeit. Ich habe gedacht: vielleicht können Sie ihn einmal brauchen, Frau Walker, später, ja.‹ Und wieder: Stille. Dann: ›Ich muß jetzt gehen. Und noch einmal danke für alles. – Wo stellen wir ihn hin?‹

›Lassen Sie ihn nur‹, sage ich. Ich kann nichts sagen als dieses ungeschickte ›Lassen Sie ihn nur‹.

Unter der Haustüre wandte sich Frau Zalewsky noch einmal um, es war jetzt ganz dunkel, ich sah sie kaum noch, es war nur ihre Stimme noch, aber ich dachte: wie ein Kind des Rabbiners Ehrenreich ist sie, nein: wie aus dem Geschlecht der Propheten. Der Himmel war voller Herbststerne in jener Nacht. Und dann sagte die Frau – und das war das Letzte, was ich von ihr gehört habe, und man behält ja so ein letztes Wort – ganz leise sagte sie:

›Und Gott sprach zu Abraham: ‚Siehst du die Sterne?
Kannst du sie zählen? So groß soll –‘‹

Ob sie noch mehr sagte, weiß ich nicht, die Nacht
verschlang ihre Worte, und sie ging ja auch schon.
Ich kehrte zurück in die Stube und sah auf den Kinderwagen. Ich holte die Markenblätter her und
klebte eine Weile die Abschnitte auf. Und der Kinderwagen stand vor mir. Er war nicht leer; eine
Decke lag drin, ein Kissen und auch ein wenig
Kinderwäsche. Wenn es so ist, daß eine, die ihr
Kind erwartet, den Kinderwagen hergeben muß,
weil man über sie und über das Ungeborene ohne
Grund ein Todesurteil gesprochen hat, wenn das
in der Welt ist, dann kann es nicht mehr gut werden. Das kommt nicht mehr ins Gleichgewicht.
Und eigentlich ist nichts anderes mehr möglich als
dies: daß alles gut aufgeräumt wird – im Feuer.
Ich weiß, lieber Herr Doktor, nicht mehr viel von
diesem Abend. Wir waren ja in jener Zeit schon
immer auch sehr müde, und so ist es gut möglich,
daß ich am Tisch eingeschlafen bin über den Kle-
bebögen. Sie waren nachher auch mitverbrannt,
und Sie können sich denken, was mir das für Schwie-
rigkeiten gemacht hat. Die Sirenen habe ich wohl
noch gehört, aber ich habe sie sicher für etwas ganz

anderes gehalten. Warum ich nicht mehr aufgestanden bin, weiß ich heute noch nicht. Und dann kam es so, wie es kommen mußte und wie Sie es ja wohl wissen.

Es ist fast schon wieder Tag, Herr Doktor, ich lese den Brief nicht noch einmal durch; aber ich muß Ihnen ganz zuletzt doch danken, daß Sie mir zugehört haben.

Ihre

Margarete Walker.«

Nein, ich wußte nicht, wie es damals gekommen war. Gar nichts wußte ich.

Ob sie, die Frau, die da von den Sirenen und dem Angriff der englischen Flugzeuge dann überrascht wurde (es war jener Angriff, von dem auf der Tafel in der wiederaufgebauten Staatsbibliothek zu lesen ist), ob sie es für gut befunden hatte, dies alles, was da war, das Haus und sich selbst dem fremden Feuer auszusetzen, ob sie meinte, daß einer in den feurigen Ofen kriechen muß und sich nicht bewahren darf – oder ob sie einfach nur eben zu müde war, um in eine Welt zurückzukehren, in der eine Mutter sich vom Kinderwagen trennen muß – das steht offen, und ich werde die Wahrheit wohl nicht

erfahren. Ich werde niemanden fragen; man er-
fragt solche Dinge nicht.

Auch ist ja dieser Brief und seine Botschaft sich
selbst genug.

Das ist die Welt. Das ist die Fratze der Macht. Das
sind die Zerrütteten, die Leben, die durch den
Fleischwolf gedreht werden. Und das ist die winzige, die wunderbare Möglichkeit des Menschen.
Man kann ein Einwickelpapier weitergeben und
eine Nachricht darin unterbringen. Man kann zwei
Kindern ein Stück Kuchen vorsetzen. Und einen
Kinderwagen annehmen, ganz zuletzt – das kann
man auch. Eine Stunde Vertrauen, ein Atemzug
Frieden. Aber es gibt keine Kirschblütenstraße auf
der Welt, die den befreiten Geistern so viel Licht
zuwirft, wie nur irgend Licht drang durch den Tür-
spalt dieser Judenmetzig, die Brühwürfel stapelte
und oft genug ihrer Kundschaft nichts Besseres anzu-
bieten hatte als sehniges Rindfleisch mit Knochen.

Sabine hatte angerufen. Es waren neun Tage vergangen seit unserem Abendgespräch, wir hatten uns
in der Zwischenzeit kaum gesehen; sie war in dienst-
lichem Auftrag nach Hannover gereist, und ich

64

hatte ihr Frau Walkers großenBrief nur eben noch an den Zug bringen können. Nun rief sie – bald nach Dienstschluß – an. Es war – schon in der Stimme – keine der bekannten Sabinen.

»Der Vater hat geschrieben.«

»Auch – über – Frau Walker?«

»*Nur* über Frau Walker. Du solltest kommen. Bald. Gleich. Heute abend. Es ist wichtig.«

Ich kam. Der Brief von Sabines Vater lag auf dem Tisch bei dem Brief der Metzgersfrau. Sie lagen da wie Schicksalszeichen, getrennte, die doch, weil sie füreinander die Wache halten, sich zusammenfügen. Wer fügt zusammen?

»Von Seite zwei ab alles –«, sagte Sabine.

»Lies mir doch vor!«

»Nein.« Sie schrie es fast, dieses Nein. »Nein. So etwas kann man nicht laut lesen.«

» – und dachte nicht, liebes Kind, dir von diesen Geschehnissen je unmittelbar Kunde geben zu sollen. Ich hatte freilich nicht die Meinung, ich dürfe die Erde verlassen, ohne davon zu berichten. Doch sollte dieser Bericht verschlossen bleiben bis zu unbestimmter Stunde, ein Testament, du verstehst. Aber nun muß ich ja wohl sagen, was du nicht weißt: daß ich in den Sommermonaten des Jahres 1942 noch für ein paar Wochen in eurer Nähe gelebt habe, daß ich an jedem Tag einmal oder mehr als einmal dich dort gesehen habe. Ich kenne das alles, Sabine: den Weg, den du täglich zur Schule gingst, dort. Morgens vor acht Uhr war ich dort, und mittags nach zwölf, wenn du zurückkamst. Jedes Kleid, das du trugst, kannte ich. Ich sah die gestickte Bluse an dir, die ich deiner Mutter einmal aus Dalmatien mitgebracht hatte, und ich sah, daß mein Kind eine kleine Dame wurde, jeden Tag ein wenig mehr. Dein Gesicht sah ich und die Gesichter der Schulfreundinnen, die dich auf dem Weg begleiteten. Manchmal hörte ich dein Lachen. Ich stand ganz nahe, oft genug, aber niemals habe ich der Versuchung nachgegeben, dich noch einmal anzureden. Ich bedachte die Verwirrung, die das in euer Leben bringen würde, und unterließ, wonach mich so sehr verlangte. Damals fing das Heimweh an, mich auszubrennen. Vierundzwanzig Stunden hat jeder Tag, und in jeder Stunde tut es sein Werk. Es ist sechs Uhr früh und Sabine steht auf. Es ist zwölf Uhr und Sabine geht zu Tisch. Es ist Abend und Sabine schläft ein. Es ist Nacht und Sabine wacht auf. Es ist die Stunde des Gebets und Sabine betet nicht mit mir. Eine Musik erreicht mich und

Sabine hört sie nicht. Ein Baum steht im Laub und Sabine sieht ihn nicht. So war das.

Bei Frau Walker hatte ich, wie wir alle, mein Fleisch zu holen, und in der letzten Woche, die ich in Deutschland verbrachte, kam es dazu, daß ich an zwei Abenden mit ihr sprechen konnte. Am zweiten Abend habe ich ihr die Bilder aus meiner Brieftasche gezeigt. Von dieser Frau zu sprechen, ist jetzt nicht die Stunde, ich meine von dem, was wir an diesen beiden Abenden beredeten. Sie hat die Bilder von dir betrachtet, und *wie* sie diese Bilder betrachtet hat, das siehst du an dem, daß sie dich im Hausgang erkannt hat, als du mit Dr. S. (den du grüßen sollst) das Weges kamst. Wir waren alle in ihrem Blick daheim.

Und dann kam der dritte Abend, mein letzter Abend in der Stadt, der 16. Oktober, ich weiß das Datum noch, denn am 17. in der Frühe erreichte mich ja dann das große Wunder, der schwedische Kurierbrief, und er brachte die unerwartete Rettung, von der du Kunde hast. Ich wohnte damals bei G.s, ganz in der Nähe von der Metzgerei Walker. Es gab Fliegeralarm an diesem Abend, und ich blieb zunächst, wie ich es gewohnt war, in meinem Zimmer. Schon mit Rücksicht auf G.s vermied

ichs, den Luftschutzraum im Keller des Hauses auf-
zusuchen, auch war bisher noch nie etwas Böses geschehen. Aber an diesem Abend wurde es ernst. Ich
hörte die Einschläge ganz in der Nähe, und mir fiel
der Sammelbunker ein, der im Haus schräg gegenüber eingerichtet war, es war ein allgemeiner Zu-
fluchtsort. Dorthin eilte ich, so wie ich war – aber
auf der Treppe kehrte ich noch einmal um und holte
meinen Mantel. Oft habe ich später denken müssen,
wie anders diese letzte Nacht dahingegangen wäre,
hätte ich nicht da noch meinen Mantel geholt. Ich
wäre wohl unbehelligt in den Bunker gekommen
und auch unverletzt wieder in meine Kammer nach
Hause, denn es traf in dieser Nacht weder den
Bunker noch unser Haus. So aber trug ich den
Mantel und am Mantel den Stern; der Luftschutz-
wart im Sammelbunker entdeckte ihn auf den ersten Blick, gleich unter der Tür – und er verwehrte
mir den Zutritt. Es war ein schlimmer Augenblick,
ich will nicht mehr an ihn denken. Als ich wieder
auf die Straße hinauskam, hatte ein Feuerschein das
Dunkel erhellt, Qualm und Brandgeruch drang
herzu, und ich ging ihm nach. Warum ich ihm
nachging – ich weiß es nicht, ich werde es nie wissen. Die Fliegerabwehrgeschütze waren in Tätig-

keit, und man hörte das Summen der fremden Flugzeuge, ich lief auf der Straße – und ich weiß, daß ich halblaut vor mich hin ›natürlich‹ sagte, als ich, um die Ecke biegend, entdeckte, daß es das Walkersche Haus war, von dem der Feuerschein herkam und der beizende Qualm. Der Dachstock brannte, die beiden unteren Stockwerke schienen, soweit man durch den Rauch hindurchsehen konnte, noch unversehrt. In dem Augenblick aber, da ich an die Gartentüre kam, erfolgte ein neuer Einschlag. Ich fiel aufs Gesicht, ich fühlte einen heftigen Stoß gegen mein Kinn, das Blut floß mir aus dem Mund, es tat nicht weh, nur die Augen brannten im heißen Rauch. Du weißt, Kind, wie ungelenk ich bin – aber plötzlich stand ich auf der Fensterbrüstung vor dem Wohnzimmer im Erdgeschoß, ich dachte daran, irgend etwas in der Walkerschen Wohnung zu retten, die Fenster waren bei dem letzten Einschlag zersplittert. Ich sah – in einer Feuerwolke sah ich Frau Walker am Tisch sitzen, ich rief sie an, sie gab keine Antwort. Ich war mit einem Sprung im Zimmer, ich eilte zur Tür, öffnete, da fuhr neues Feuer vom Hausgang herein. Ich faßte die Halbbewußtlose am Arm, wagte die vier, fünf Meter Wegs bis zur Haustür, der Schlüssel, dem Himmel sei Dank, steckte, und es gelang mir, ihn im Schloß zu drehen, wir waren im Freien. Ich war wenig verletzt, aber das Gesicht der Frau sah bös aus, im Feuerschein konnt' ichs erkennen. Ich legte sie fünfzig oder sechzig Schritt entfernt – so weit konnte ich sie mit aller Mühe mehr schleppen als führen – auf eine Bank und deckte sie mit meinem Mantel zu, rechtzeitig hatte ich ein Stück von ihrem halbglostenden Tuchrock abgerissen. Die Bank – ich sah mich um – gehörte zum übernächsten Anwesen, hier war fürs erste für Frau Walker keine Gefahr. Die Stelle, an der sich der Feuermelder in meiner Straße befand, hatte ich mir seit langem gemerkt, man merkt sich ja mitunter so etwas, ich schlug das Glas ein, die Sirene begann zu heulen. Plötzlich fiel mir ein: auf dem Mantel, der jetzt Frau Walker zudeckt, ist ja der Stern aufgenäht, der Stern! Ich kehrte zurück und trennte in aller Eile den gelben Stern vom Mantel. Frau Walker schlug die Augen auf, sie erkannte mich jetzt und lächelte einen Augenblick, aber dann erstarb das Lächeln, und sie sagte: ›Er hat es nicht angenommen.‹ ›Was?‹ fragte ich. ›Das Brandopfer.‹ ›Wer?‹ ›Gott hat es nicht angenommen.‹

Es waren das fast die letzten deutschen Worte, die ich gehört habe, aber du verstehst, Sabine, daß es mich nicht danach verlangte, neue zu hören. Die Feuerwehr war nahe, man vernahm ihr Getön. Sie werden die Verwundete finden, mich braucht sie jetzt nicht mehr.

Ich ging in meine Wohnung zurück; früh vor Tag fand mich der schwedische Kurier, Dr. G. hatte ihm den Weg gewiesen, und er kam mit dem Brief, der die Rettung bedeutete.« – –

»Keine Grüße an Frau Walker«, sagte ich, während ich den Brief zu Sabine hinüberschob, »das ist merkwürdig.«

»Ja, das ist merkwürdig. Aber da walten wohl andere Gesetze.«

Das Letzte. Aber das ist eine von jenen Erfindungen des Lebens, von denen wir sagen: unbegreiflich und närrisch zugleich. Man macht eine Dienstreise, wie sie zuweilen einem fremden alten Manuskript zulieb unternommen werden muß, und abends im Hotel beim Auspacken des Koffers fällt einem ein Zeitungsblatt in die Hand. Man hatte daheim achtlos eine Zeitung von dem Stapel genommen, der im Kofferraum des Hauses Walker modert, man ist müde, zerstreut, und nur froh, daß hier jetzt ein Riegel an der Hotelzimmertür vorgeschoben werden kann und daß die Reisekognakflasche noch nicht ganz leer ist. Da also faltet man das Zeitungsblatt auseinander, und der Blick streift die Anzeigenseite. »Walker« lesen die Augen, und nun erst bin ich bei dem Blatt. Wirklich: »Walker«.

Und ich lese, daß der Metzgermeister Karl Walker die Wiedereröffnung seiner Metzgerei anzeigt. Ich suche nach dem Datum, die Zeitung ist sieben Monate alt. »ff Fleisch- und Wurstwaren, Schlachtschüsseln«, stand zu lesen. Und an der Seite fand sich, seltsam verloren im Raum, eine Bibelstelle »2. Mose 3, 2«. Wie nachträglich noch eingefügt nahm sie sich aus oder wie von einem flüchtigen Setzer an die falsche Stelle gerückt. Denn was soll eine Bibelstelle hier? Wenn sie in die Todesanzeige eines Christenmenschen eingefügt wird, so ist das gleich verständlich, aber wie reimen sich Schlachtschüssel und Zweiten Mose drei?

Die Schriftstelle: ein Bibliothekar muß wissen, daß mit dem Buche Exodus die Mosegeschichte beginnt, und wenn er bibelfest ist, weiß er, daß im dritten Kapitel Moses Berufung erzählt wird.

Aber wie lautet die Stelle selbst, und was, wenn sie wirklich nicht versehentlich hier steht, soll sie bedeuten?

Es ist dreiviertel zehn Uhr abends. Soll ich die Hotelleitung noch um eine Bibel bemühen? Sie wird, fürchte ich, alles haben, alles, nur keine Bibel. Ich nehme den Hörer von der Gabel und bitte die Telephonzentrale unten im Haus, mich mit einem der Pfarrämter der Stadt zu verbinden. Es ist Freitagabend (Frau Walkers Tag, geht es mir einen Augenblick durch den Sinn), und dreiviertel zehn Uhr, das ist keine unschickliche Zeit für einen Anruf: der Herr Pfarrer wird in seiner Stube sein und an der Sonntagspredigt arbeiten, da hat er die Bibel gleich bei der Hand.

»Ihre Anmeldung bitte.«

Ich nenne meinen Namen und mein Begehr. Eine Bibelstelle erbäte ich.

»Einen Augenblick, bitte.« Die Stimme des Pfarrers ist ruhig und nur wenig erstaunt. »Ja. Hier. Die Stelle lautet: ›Und Mose sah, daß der Busch mit Feuer brannte, und ward doch nicht verzehrt.‹«

»Und ward doch nicht verzehrt.« Ich verstand: hier war eine Frage, lange im Schweigen gestellt, und eine Antwort, langsam begriffen.

Die Frage: ob da einer ist, der die furchtbare Schuld der Zeit aufrechnen könnte gegen das wilde Opfer einer Metzgersfrau, gegen diese Bereitschaft, die in den feurigen Ofen kriecht?

Aber der eine, der hier aufrechnen könnte, der wird sagen, daß ihm solche Opfer nicht gefallen, daß er nicht »Lust hat am Brandopfer« und am »Fett von den Gemästeten«, sondern am geängsteten Geist und am zerschlagenen Herzen. Und wird sagen – und das wird die Antwort sein: daß sie alle, auch er, der Mitwisser nun, auch Sabine, die wunderlich Hineinverwobene, und Sabines Vater, der gerettete Retter – bewahrt sind zu anderem Dienst. In dem Brandmal freilich auf dem Gesicht der Frau soll es aufgerichtet bleiben, das Zeichen, und anders nicht zu lesen denn als ein Zeichen der Liebe, jener Liebe, welche die Welt erhält – –

»Ist sonst noch etwas?«

Ich habe vergessen, daß ich den Hörer noch in der Hand habe. Undeutlich höre ich eine Stimme.

»Sie sagen – Verzeihung?«

»Ist sonst noch etwas?«

»Sonst? Nein. Sonst nichts. Ich danke Ihnen. Ich danke Ihnen sehr. Gute Nacht.«

Notiz

Man hat mich aufmerksam gemacht auf einige sachliche Un-
richtigkeiten, die mir unterlaufen sind, und eine davon muß
hier genannt werden: der Befehl, den ›Stern‹ zu tragen, wurde
nicht im Jahre 1938, sondern erst 1941 erteilt. Man wird es
verstehen, wenn ich trotzdem nichts ändere am Text dieser
Erzählung, die – ob sie gleich auf freier Erfindung beruht –
niemand eine »frei erfundene« Geschichte nennen wird, eher
ließe sich von »gebundener Erfindung« sprechen. Für die Weise
einer Betrachtung, bei der Trauer und Scham die Windfackel
halten, rücken Zeiten und Fakten zueinander, wie auf den Bildern von Marc Chagall Dimensionen und Konstellationen sich
verschieben, ohne deshalb ihre Wirklichkeit zu verlieren.

STUTTGART, im Januar 1955   A. G.

Die Zeit des Nationalsozialismus
Eine Buchreihe
Herausgegeben von Walter H. Pehle

A. von Borries (Hg.)
**Selbstzeugnisse
des deutschen
Judentums
1861-1945**
Band 4357

Detlev Claussen
**Grenzen der
Aufklärung**
Die gesellschaftliche
Genese des moder-
nen Antisemitismus
Band 12238

Ute Deichmann
**Biologen
unter Hitler**
Porträt einer
Wissenschaft
im NS-Staat
Band 12597

Wilhelm Deist/
M. Messerschmidt/
Hans E. Volkmann/
Wolfram Wette
**Ursachen und
Voraussetzungen
des Zweiten
Weltkrieges**
Band 4432

Georg Denzler/
Volker Fabrizius
**Christen und
Nationalsozialisten**
Darstellung
und Dokumente
Band 11871

Dan Diner (Hg.)
**Ist der National-
sozialismus
Geschichte?**
Zu Historisierung
und Historikerstreit
Band 4391

Anne Frank
**Das Tagebuch
der Anne Frank**
Band 11377

Varian Fry
**Auslieferung
auf Verlangen**
Die Rettung
deutscher Emigran-
ten in Marseille
1940-1941
Band 11893

Gustave M. Gilbert
**Nürnberger
Tagebuch**
Band 1885

Willi Graf
**Briefe und
Aufzeichnungen**
A. Knoop-Graf/
Inge Jens (Hg.)
Band 12367

Fischer Taschenbuch Verlag

fi 1710 / 9 b

Die Zeit des Nationalsozialismus
Eine Buchreihe
Herausgegeben von Walter H. Pehle

H. Graml (Hg.)
Widerstand im
Dritten Reich
Probleme, Ereig-
nisse, Gestalten
Band 12236

Günter Grau (Hg.)
Homosexualität
in der NS-Zeit
Band 11254

Norbert Haase/
Gerhard Paul (Hg.)
Die anderen
Soldaten
Wehrkraftzerset-
zung, Gehorsams-
verweigerung und
Fahnenflucht im
Zweiten Weltkrieg
Band 12769

Sebastian Haffner
Anmerkungen
zu Hitler
Band 3489

Jost Hermand
Als Pimpf in Polen
Erweiterte Kinder-
landverschickung
1940-1945
Band 11321

Raul Hilberg
Die Vernichtung
der europäischen
Juden
Drei Bände in Kass.
Band 4417

Wieslaw Kielar
Anus Mundi
Fünf Jahre
Auschwitz
Band 3469

Ernst Klee
Persilscheine und
falsche Pässe
Wie die Kirchen
den Nazis halfen
Band 10956

Ernst Klee
Was sie taten –
Was sie wurden
Ärzte, Juristen und
andere Beteiligte am
Kranken- oder
Judenmord
Band 4364
»Euthanasie«
im NS-Staat
Band 4326
Dokumente zur
»Euthanasie«
im NS-Staat
Band 4327

A. Königseder/
Juliane Wetzel
Lebensmut
im Wartesaal
Die jüdischen
Displaced Persons
im Nachkriegs-
deutschland
Band 10761

Fischer Taschenbuch Verlag

fi 1710 / 9 c

Die Zeit des Nationalsozialismus
Eine Buchreihe
Herausgegeben von Walter H. Pehle

Fischer Taschenbuch Verlag

fi 1710 / 8 e

Die Zeit des Nationalsozialismus
Eine Buchreihe
Herausgegeben von Walter H. Pehle

Hans Scholl/
Sophie Scholl
**Briefe und
Aufzeichnungen**
Inge Jens (Hg.)
Band 5681

Inge Scholl
Die Weiße Rose
Band 11802

G. Schwarberg
Das Getto
Spaziergang
in die Hölle
Band 10302

Gerda Szepansky
**»Blitzmädel«,
»Heldenmutter«,
»Kriegerwitwe«**
Frauenleben im
Zweiten Weltkrieg
Band 3700

Gerda Szepansky
**Frauen leisten
Widerstand:
1933-1945**
Band 3741

Ladislaus Szücs
Zählappell
Als Arzt im Kon-
zentrationslager
E.-J. Dreyer (Hg.)
Band 12965

Herausgegeben von
Gerd R. Ueberschär
**Das National-
komitee ›Freies
Deutschland‹
und der Bund
Deutscher
Offiziere**
Band 12633

Herausgegeben von
G. R. Ueberschär/
Wolfram Wette
Stalingrad
Mythos und
Wirklichkeit
einer Schlacht
Band 11097

Hildegard Weber
**Aufgehoben,
aufbewahrt**
Geschichte einer
Kleinstadt in
Bildern 1933-1948
Band 12768

Irmgard Weyrather
**Muttertag und
Mutterkreuz**
Der Kult um die
»deutsche Mutter«
im National-
sozialismus
Band 11517

Fischer Taschenbuch Verlag